la veuve
enragée

Photos de la couverture et de l'intérieur: Guy Dubois

Maquette de la couverture: Jacques Léveillé.

ISBN 0-7761-0069-6

la veuve enragée

antonine maillet

THÉÂTRE/LEMÉAC

Introduction

par Jacques Ferron

La Veuve Enragée, *tirée du dernier roman d'Antonine Maillet*, Les Cordes-de-Bois, *se passe durant les années trente alors que dans le roman ces années-là ne forment qu'un appendice à une longue histoire qui commence sur l'empremier, un siècle auparavant, lorsque le premier des Mercenaire, matelot déserteur, ne sera pas repris et fouetté, parce que le village l'a accueilli et caché.* «Par quel étrange hasard, se demande l'auteur sur la fin de son roman, se fait-il qu'on naisse toujours chez soi?» *Ce hasard fera quand même que de chez soi on sortira avec une destinée que par fidélité au nom on se transmet de génération en génération, confirmée par le village qui trouve tout naturel que la Piroune et la Bessoune, après leurs tantes Mercenaire, à la retraite, soient filles à matelots, étant donné qu'elles sont les descendantes d'un matelot déserteur, apparu sur l'empremier. Destinée que viendra confirmer à la fin du roman et de la pièce un autre déserteur, Tom Thumb, cette fois Irlandais.*

L'empremier, mot acadien, est un autrefois plus catégorique: avant lui, c'est le chaos, il n'y a rien. Les récits et les chants d'empremier sont anciens; certains remontent au moyen âge, donc en France, pays sombré dans le déluge de l'Atlantique et devenu mythique d'autant plus vite que de 1604 à 1710 l'Acadie fut laissée à elle-même plus souvent qu'autrement, obligée de se suffire, d'apprendre à vivre sur son propre fonds et à se défendre contre les Anglais et les Bostonnais. Elle finit par capituler en

1710, perte que la France entérina par le traité d'Utrecht, en 1713, cinquante ans avant le traité de Paris, ce qui n'empêcha pas les Acadiens, devenus Français neutres, de s'étendre et de se multiplier. De 2 000 qu'ils étaient en 1710, ils atteignaient les 8 000 en 1739. La population se doublait d'elle-même tous les seize ans; à la fin du siècle elle pouvait arriver à dépasser les 100 000. Ils étaient nombreux et vivaient à l'aise, ce qui inquiéta leurs maîtres, d'où leur déportation en 1755, puis la chasse de 1758 où l'on s'empara de ceux qu'on avait oubliés sur la côte nord de la baie Française, le long des rivières Saint-Jean et Petitcodiac. Quelques-uns avaient prévu cette déportation et s'étaient réfugiés au Cap-Breton, dans les îles Saint-Jean et de la Madeleine, environ 2 000. Une partie des exilés se retrouva en France, les uns à Belle-Île, dans le Morbihan, les autres dans les alentours de Poitiers, et c'est ceux-là qui furent refilés aux Espagnols, alors en possession de la Louisiane, où ils devinrent les Cajuns et le restèrent. Les autres, dispersés de la Nouvelle-Angleterre à la Virginie, passèrent pour la plupart au Canada, mais 140 à 150 familles, profitant du traité de Paris, remontèrent la côte jusqu'à Memramcook, d'où la moitié descendit en Nouvelle-Écosse, trouvant leurs anciennes terres occupées; on leur donna par charité quelques mauvaises grèves désertes, dans les districts de Clare et de Yarmouth. L'autre moitié remonta sur la côte du Nouveau-Brunswick où ne se trouvaient auparavant que des postes de traite qu'on nommait les capitaineries sauvages.

Les récits et les chansons d'empremier continuaient d'être redits et chantées. Vers 1930, un Madelinot, Hector Carbonneau, traducteur à Ottawa, écrivit un petit roman où son héros, lui, reste dans les Îles, et c'est dans l'empremier, dont il craint la perte, qu'il cherche son inspiration: «Le monde est trop vieux, il a besoin de se rajeunir, de remonter aux fictions aimables et rafraîchissantes». Son roman n'a pas sauvé l'empremier et ne sera publié qu'en 1975. Et ce vieil empremier qui, faute de lieu, devait sans cesse être remémoré et retransmis, s'est estompé et n'est plus aujourd'hui qu'une vague musique de fond, rescapé de justesse par les folkloristes dont les enregistrements permettent de s'en faire une idée, l'idée qu'il a eu lieu. Les Acadiens sans Acadie lui ont substitué au Nouveau-Brunswick un «sur l'empremier» qui reste à leur portée et désigne l'époque où, à la fin du XVIIIe siècle et au début du XIXe, durant une cinquantaine d'années, les capitaineries sauvages seront transformées en petits villages côtiers, époque qui s'achève avec leur réunion en paroisses.

Dans Les Cordes-de-Bois, la vieille Ozite, centenaire née sur l'empremier, dira avec coquetterie: «On avait sur les côtes une beauté de parsoune assez regardable, sus l'empremier». Elle n'y est pas par parure, mais pour son témoignage dont on a besoin pour verbaliser le droit à une propriété sans autre titre qu'une longue occupation. «Après trois générations, dit le forgeron, un houme doit pouère appeler sa terre la sienne.» Encore reste-t-il du flou dans le cadastre; c'est ainsi que la butte où l'on entrepose le bois qu'on exporte sert aussi d'habitat aux Mercenaire depuis quatre générations; le bois ne leur appartient pas, mais ils gardent le droit d'y rester, ce qui finira par leur valoir le surnom de Cordes-de-Bois. Voilà une raison pour l'auteur de revenir sans cesse sur l'empremier, dans son roman, lui accordant autant de place qu'à son sujet, une chronique des années trente. Mais il y en a deux autres plus importantes. La première est de rejeter l'Acadie, qui commence où elle finit, par la Dépor-

11

tation, seul souvenir qu'on en veut garder, à preuve l'agacement que Memramcook cause au village du Pont, parce que Memramcook, en plus de se trouver dans le bassin de la baie Française, s'avantage de ses aboiteaux, propres à l'Acadie perdue. En abordant sur l'empremier, l'Acadien se rétablissait sur lui-même, mettait l'histoire à sa portée, quitte à renvoyer l'Acadie dans le chaos. La deuxième raison, apparue depuis peu, c'est qu'on revient sur l'empremier pour contester la réunion en paroisses des villages de la Côte en vue de retrouver une liberté perdue dans un projet communautaire, strictement profane, ou au contraire, comme c'est le cas d'Antonine Maillet, en vue de retrouver cette liberté dans une Église toute à tous, non plus autoritaire, qui ne prendrait plus son monde parmi les riches et les fanatiques, mais s'ouvrirait aussi aux miséreux et aux pécheurs avec douceur, sans les rebuter ni les humilier. Dans Les Cordes-de-Bois, il y a un p'tit vicaire en discorde avec son curé, qui prend la part des Mercenaire contre Ma-Tante-la-Veuve, celle qui est devenue la Veuve Enragée dans la pièce; le p'tit vicaire finit par partir du village, envoyé à Rome. Certains prétendent qu'il en reviendra évêque, à quoi les gens de la forge répliquent: «Quand il sera sous le dais, les Micmacs chanteront la messe en sauvage et nous autres dans la langue de nos aïeux». À une histoire déjà raccourcie, Antonine Maillet n'enlève pas en plus un siècle et demi, soit toute la période paroissiale. Par une sorte de romantisme chrétien elle penche du côté des irréguliers, des marginaux, sans rejeter pour autant la Veuve Enragée qui parle, faut-il le noter, la même langue que la Bessoune, la Piroune et les deux tantes Mercenaire.

Le roman était déjà théâtral, l'auteur s'y montrant du dedans, derrière les personnages, courant de l'un à l'autre pour les faire parler, commenter l'action, interpréter leurs silences, quitte à mystifier un peu le lecteur comme cela arrive aux bons conteurs, portés à être narquois. Maintenant elle n'y est plus, et le nombre des personnages a été ramené à six, quatre Mercenaire qui font bloc, la Veuve Enragée qui, au nom de la paroisse, voudrait les chasser, et l'Irlandais Tom Thumb dont le personnage prend dans la pièce une importance qu'il n'avait pas dans le roman où tout à la fin il servait de substitut au p'tit vicaire qui s'en allait à Rome. Antonine Maillet connaît les deux métiers, celui du roman où pour garder l'attention du lecteur solitaire on lui donne une nombreuse compagnie et celui du théâtre, où l'on simplifie l'action, on réduit le nombre des personnages pour réduire les frais du spectacle, parce que la nombreuse compagnie est dans la salle et qu'une pièce ne passe bien que si elle fait l'unanimité des spectateurs, laquelle s'obtient d'abord par les plus simples, ceux qui n'y cherchent que de l'émotion et de la joie; ce sont eux qui forment le noyau auquel les autres, plus instruits, plus sophistiqués, qui ajoutent des idées à l'émotion, viendront s'agglutiner. La Veuve Enragée a l'allure d'un fabliau où cette paroissienne, riche et criarde, s'arroge un pouvoir sur Dieu et le mobilise contre les quatre Mercenaire qui, toutes pécheresses qu'elles soient, mettent de l'amour dans les soins corporels qu'elles prodiguent aux matelots, et ce sera l'un de ceux-ci, inspiré par tous les saints d'Irlande, qui mettra fin à la pièce en prenant parti pour elles, et, après avoir hésité entre la Bessoune et la Piroune, se demandant laquelle des deux prendre sur son bateau, déserte tout simplement pour s'établir sur la butte, fermant un premier cycle qui remonte à l'ancêtre Mercenaire, lui aussi déserteur, pour en commencer un autre qui assure la pérennité des Cordes-de-Bois sur leur butte et celle du charivari dans le village du Pont. Et c'est aussi une moralité où la liberté triomphe, synthèse de la thèse et de l'antithèse, de l'ordre et du désordre. Et la langue d'Antonine Maillet, tout archaïque qu'elle soit, évoque les jeunesses passées, les redistribuant à ceux qui ont vieilli, façon de remettre sur l'empremier le pays des Côtes et de lui donner de l'avenir.

Les romans d'Antonine Maillet, un théâtre qui s'avise de réussir, voire de triompher comme la Sagouine, ont donné un regain à l'Acadie qui, vers 1965, avait plutôt la fale basse. Cette année-là, à l'Université de Moncton, je demandais à deux jeunes étudiants, déférents et polis, s'ils étaient Acadiens. J'en doutais si peu que je leur posais la question un peu par plaisanterie, pour amorcer la conversation. Quelle fut ma surprise de les entendre répondre avec sérieux et quelque mélancolie, l'un qu'il se considérait Canadien, l'autre que l'Acadie, Monsieur, c'était pour nos pères. Cela m'avait peiné car s'il n'y a pas de patrie pour l'honnête homme, il n'en reste pas moins vilain de passer d'une communauté menacée à un parti plus fort. Mais je crois que depuis l'Acadie s'est redonné honneur et courage grâce à ses auteurs et ses chansonniers. La part d'Antonine Maillet y est grande, simplement en donnant parole à ceux des siens qui n'avaient pas les moyens de se dire Canadiens. Et c'est cela, je crois, qui couronne une œuvre: qu'elle rallie les siens et leur redonne une identité qu'ils étaient en train de perdre.

Jacques FERRON

14

Antonine MAILLET est née à Bouctouche, au cœur de l'Acadie, dans le Nouveau-Brunswick. Après des études en arts et lettres aux universités de Moncton et de Montréal, elle obtient le grade de docteur ès lettres de l'Université Laval avec une thèse sur *Rabelais et les traditions populaires en Acadie,* qui sera publiée en 1971 par les presses de la même université.

En même temps qu'elle enseigne la littérature aux universités de Moncton, Laval et Montréal, Antonine Maillet entreprend une carrière d'écrivain de grand talent.

L'auteur de *La Sagouine* est lauréate de nombreux prix littéraires. Son tout premier roman, *Pointe-aux-Coques,* reçoit en 1960 le Prix Champlain. En 1972, le Prix du Gouverneur général est attribué à *Don L'Orignal.* Trois autres distinctions couronnent *Mariaagélas* : le Grand Prix de la ville de Montréal en 1973, le Prix des Volcans (France) en 1975 et, la même année, le Prix France-Canada. En 1976, Antonine Maillet se voit décerner le Prix littéraire de la Presse.

Nommée docteur *honoris causa* de l'Université de Moncton, Antonine Maillet est membre de la Société Royale du Canada, membre de l'Association des écrivains de langue française, de la Société des auteurs et compositeurs dramatiques de France et de la Société des Gens de lettres de France. Enfin Madame Maillet vient, récemment, d'être nommée Officier de l'Ordre du Canada.

L'ensemble de son œuvre est publié chez Leméac, à Montréal. À Paris, Grasset a aussi publié les titres suivants: *La Sagouine, Mariaagélas* et *Les Cordes-de-Bois*.

à Yvette,
remarquable meneur de jeu.

LA VEUVE ENRAGÉE

pièce en deux actes

PERSONNAGES

LA VEUVE, face de carême, la soixantaine.

LA PIROUNE, héritière des Mercenaire, la quarantaine.

LA BESSOUNE, fille de la Piroune, jeune fille.

ZÉLICA, l'aînée des Mercenaire, bootlegger, la soixantaine.

PATIENCE, sœur de Zélica, un peu sorcière, près de la soixantaine.

TOM THUMB, matelot irlandais, la trentaine.

LIEUX

La scène se passe en Acadie, dans un village des côtes, autour des années '30, en été.

Deux lieux :
1) devant la cabane des Mercenaire des Cordes-de-Bois ;
2) sur le quai, au pied d'une goélette.

CRÉATION

À Montréal, le 8 décembre 1977,
par le Théâtre du Rideau Vert,
dans une mise en scène d'Yvette Brind'Amour,
les décors de Michel Demers,
les costumes de François Barbeau
et les éclairages de Nick Cernovitch.

DISTRIBUTION

par ordre d'entrée en scène

Kim Yaroshevskaya .... Patience

Janine Sutto .... Zélica

Adriana Roach .... La Bessoune

Denise Filiatrault .... La Piroune

Viola Léger .... La Veuve

Benoît Marleau .... Tom Thumb

ACTE I

Scène I

aux Cordes-de-Bois, en matinée

Grand rire de Patience qui commence avec le lever du rideau et qui se poursuit jusqu'à entraîner la salle... si possible. Puis arrêt sec.

PATIENCE

Assis-toi longtemps assez
Sus le devant de porte de ton logis,
Pis tu finiras par ouère passer
Le cadavre de ton ennemi.

Elle se remet à carder sa laine en chantant.

Mon père a fait bâtir maison
Fripe la lune
Sont trois charpentiers qui la font
Flutaine et fluton,
Fluton poêlon,
Fripe la lune
Et mange ton beurre à l'oignon.
Etc.

Entre Zélica en dansant sur l'air de Patience qui s'arrête soudain au milieu d'une phrase.

PATIENCE

Pour qui c'est ben que tu fais la folle, pour les goélands ou pour moi?

ZÉLICA

Pour le pére Mercenaire qui m'a dit avant de corver: Zélica, ma fille, ma fille aînée, qu'il a dit, souviens-toi d'une chouse: la vie c'est une crotte; c'est long pis étroite, pis ça pue, mais c'est la seule chouse qui t'appartient; ça fait que va point la faire sus la galerie du voisin.

Elle se remet à chanter.

PATIENCE

Et pis tu l'emporteras pas en paradis, qu'il a dit.

Zélica s'arrête net.

ZÉLICA

Fallit qu'elle s'en venit garrocher le paradis là-dedans asteur. Coume si y avait point assez de genses nés pour nous bailler le djable et nous vendre le bon Djeu! Ce sera-t-i' une Mercenaire des Cordes-de-Bois qui va se mêler de chouses qui la regardent pas, à l'heure qu'il est?

PATIENCE

À l'heure qu'il est, le bon Djeu nous regarde peut-être point; mais le djable, lui, nous avise de ses deux yeux rouges. Des cornes au-dessus des usses, et des flambes dans la goule, et pis des griffes pointuses pour les filles de mauvaise vie.

ZÉLICA

Taise-toi, sorciére!

PATIENCE

La darnière fois qu'il m'a apparu, il m'a fait signe d'approcher pis il m'a dit tout bas: Patience, rouvre les yeux la nuit; y a quequ'un qui va forter dans ton coffre quand c'est que tu dors.

ZÉLICA

Ah! la garce! Son coffre! son coffre, qu'elle dit! Le coffre des Mercenaire, ma sœur, sorti du Grand Dérangement, enfoui sous une meule de foin durant un siècle, pis laissé en hairage à la défunte Barbe, pis à Ozite à Barbe, pis à tout le lignage des Cordes-de-Bois où c'est que j'ai venue au monde la premiére, moi, Zélica, fille aînée à Ozite, fille à Barbe, fille des aïeux.

PATIENCE

Fille à matelots.

ZÉLICA

La salope! vous l'entendez!... Et pis j'ai passé l'âge.

PATIENCE

Quel âge?

ZÉLICA

L'âge des yeux à pic, de la ventrêche à l'air, pis du sable mouvant sous les pieds.

Elle se remet à chanter et danser.

PATIENCE

T'as passé l'âge?

ZÉLICA

L'âge où c'est que la seule aparcevance d'une goèlette qui ressoud au goulet un matin de juin réveille tes ancêtres matelots qui te sommeillont dans les reins, et te baille comme une maniére de façon d'envie d'aller rôder par là, pour ouère. Des beaux jeunes fringants de matelots en culottes qui flottent dans le suroît, couleur de la mer de mênuit. Une saprée de belle mer calme à mênuit, et qui te raconte le large et les vieux pays. Et tu te rouvres les ouïes et tu l'écoutes, et tu te rouvres les yeux et tu l'avises, et tu te rouvres...

PATIENCE

...pus rien, parce que t'as passé l'âge.

ZÉLICA

Grand folle!... Ouais, passé le printemps et le mardi gras de ta vie.

PATIENCE

Mardi gras revient tous les ans. T'as rien qu'à le guetter.

ZÉLICA

Avec sa boudiniére et ses fayots engraissés au lard de cochon.

PATIENCE

Avec sa biére aux méres et son petit-blanc.

Elle boit au goulot, en cachette.

ZÉLICA

Avec une bombarde entre les babines et une vêze entre les bras. Et de la parenté pour faire trembler la butte et hucher aux morts de se tiendre tranquille et d'espèrer une petite affaire, qu'y a rien qui presse pour aller les rejoindre, que l'étarnité sera assez longue, et que j'avons pas fini encore nous autres ici-bas d'user les semelles de la vie...

PATIENCE

Par rapport que j'avons point encore passé l'âge.

ZÉLICA, *la désignant au-dessus de son épaule*

Une vraie folle! (*Elle se tourne vers sa sœur et l'aperçoit qui boit.*) Sainte-Mére de Jésus-Christ fille de Djeu! Quand c'est, ma sœur, que tu passeras l'âge de la bouteille, toi?

PATIENCE

À l'âge, ma sœur, que la lune coupera ses premiéres dents, et que Carême timbera au mois d'août.

ZÉLICA

Et que t'aras les rogons rognés et l'estoumac cobi, ma sœur. Passe-moi le goulot.

Elle en prend une lampée.

PATIENCE

Ça sera ça de moins à haler en terre, les jambes élongées dans mon coffre.

ZÉLICA

Nenni, j'allons point gaspiller le coffre des Mercenaire de même. Le coffre passera à ta nièce, la Piroune, après notre défunte mort, pis après yelle à ma nièce la Bessoune, sa fille. Je laisserons ça aux bounes genses du Pont d'enterrer leux coffres et de consarver leu vie pour leux vieux jours. Nous autres, les Cordes-de-Bois, je vivons notre vie quand c'est qu'a' passe, ça s'adoune, du premier de janvier au darnier de décembre, je vivons deboute, et je consarvons l'étarnité pour après la mort.

PATIENCE

Pis c'te jour-là, ça sera la Bessoune, ta filleule, qui pissera dans ton coffre.

ZÉLICA

Ah! la salope! parler en mal de sa propre descendance!

La Bessoune passe dans un coup de vent.

PATIENCE

Hé, hé!...

ZÉLICA

Ben quoi c'est qui la prend, c'te petite effarée-là?

PATIENCE

Elle prendra même pas le temps de se rendre au coffre, elle te pissera sus les pieds, ma sœur aînée.

ZÉLICA

Hey! La Bessoune, petite vaurienne, reviens-t'en icitte. Reviens sus ton monde, bougresse. J'avons-t-i' point assez de redresser nos vieux ous et traîner nos grabats de saison en saison, sans aouère à traîner pis redresser des enfants, en plusse? Des enfants effarouchés coume des chevreux qu'avont pus aucun respect de rien, et qui nous pissont sus les pieds! (*La Bessoune revient, es-*

31

soufflée et finaude.) Avec mes bottines aux che-
villes par-dessus le marché! Bougresse! Où c'est
que tu t'en allais de même coume un élouèze?
Forlaquer du bord du quai? Sous le pont, en plein
jour? Qui c'est qui t'a appris ça, hein? Qui c'est
qui t'a élevée?

LA BESSOUNE, *en s'essuyant
le nez à sa manche*

Ma mére.

ZÉLICA

Sa mére! Sa mére, qu'elle dit! Pis nous
autres, quoi c'est que je faisons là, hein? Je sons
point des Mercenaire, je crois ben, ma sœur Patience pis moi? des Mercenaire sorties tout nues
des cuisses...

PATIENCE

...à Ozite, fille à Barbe, fille des aïeux.

ZÉLICA

Toi, mêle-toi pas de ça... Je t'avons point,
chacun notre tour, emmaillotée, pis mouchée, pis
décrottée, pis torchée, pis fait sauter le petit galop,
grand galop sus nos genoux? Ça fait que tu diras
à ta mére que pour l'élevage de sa fille, ça s'adoune... qu'elle se souvenit qu'y a pas une Mercenaire qu'a venue au monde sus la butte qu'a point
eu toutes les Cordes-de-Bois pleyées au-dessus de
son ber.

32

PATIENCE

Qu'était point un ber, mais un panier à hardes.

ZÉLICA

Je m'en vas y dire, moi, à la Piroune...

PATIENCE

Dis-y droite asteur.

Entre la Piroune d'un pas décidé, hariotte à la main. La Bessoune se cache.

LA PIROUNE

Où c'est qu'elle est? *(Elle renifle.)* Elle se cache pas loin d'icitte, je la sens.

PATIENCE ET ZÉLICA

Qui ça???

LA PIROUNE

La Bessoune, fille de la Piroune et du vent de suroît.

PATIENCE

La darnière fois c'était le nordet.

ZÉLICA

Née dans les haubans d'une goèlette en plein mardi gras.

PATIENCE

Avec une étouèle au derrière.

LA PIROUNE

Y a point de goèlette au quai à mardi gras.
Et pis c'est moi qu'a une étouèle au derrière.
Où c'est qu'elle est nigée?

ZÉLICA

Faudrait l'élever, ta fille, ma nièce: y montrer
à cracher dans la spitoune, et à se moucher à ses
manches, pas aux miennes.

LA PIROUNE

Et tant qu'à faire, trancher son pain en petits
morceaux, pourquoi pas, et bouère son thé en levant le petit doigt comme les Marie-Rose, et les
Marie-Blanche, et les Jeanne-Mance de la Veuve?
J'allons-t-i', nous autres Mercenaire, nous mettre à
vivre en grandeur, à l'heure qu'il est? j'avons-t-i'
point assez de vivre notre vie sans essayer de la
forbir en plusse, et l'épousseter chaque matin, et
l'user à force de la frotter, pour la ouère finir ses
jours couchée dans un coffre doublé en taffetas
pis en organdi?

PATIENCE

Un autre qui veut mon coffre.

LA PIROUNE

Nenni! le monde est trop petit, et la vie trop
courte, et le paradis trop loin et peut-être ben trop

maigrelet, pour que je gaspillions un seul petit élan à nous faire des accrouères, nous autres. C'est ça qu'il nous a enseigné, le vieux Mercenaire, en défrichetant le pays des Cordes-de-Bois. Il nous a enseigné que la vie...

ZÉLICA

...c'est une crotte, et pis qu'il faut point aller la faire sus la galerie des autres.

La Bessoune, cachée, pouffe de rire.

LA PIROUNE

Je savais, je savais que la petite forlaque se cachait queque part icitte. (*La Bessoune se sauve, la Piroune la poursuit.*) Espère que je t'attrape!

ZÉLICA

Laisse ouère c't' enfant-là tranquille, pauvre petit ange du bon Djeu! Ç'a jamais fait mal à une mouche.

PATIENCE

Ça c'est parce que les mouches sont de son bord.

ZÉLICA

La Piroune m'a l'air d'aouère les babines en poignées de bicycle depuis queques jours, coume si un effronté y grimpait le râteau de l'échine.

PATIENCE

La Piroune sent le vent avant qu'i' se lève et entend hucher la vache marine de loin. Elle est pas pour rien la fille de la fille à ses aïeux.

ZÉLICA

Et qu'a mis au monde à son tour une vraie Cordes-de-Bois qui renie point sa race.

PATIENCE

Une descendance qu'elle ramène présentement au logis par les oreilles.

La Piroune revient en traînant sa fille.

LA PIROUNE

Quoi c'est que t'allais faire par là, vaurienne? Où c'est que t'as passé la nuit?

LA BESSOUNE

Avec les fi-follets.

LA PIROUNE

Avec qui?

PATIENCE, *qui rit*

Les fi-follets, elle achève de te le dire.

ZÉLICA

Jésus-Christ du bon Djeu! elle va nous attirer le malheur!

LA PIROUNE

T'as passé la nuit avec les fi-follets, effarée?
C'est-i' rendu que ma propre fille se changerait en
loup-garou, asteur?

PATIENCE

Ça s'est déjà vu dans la famille. La vieille
Barbe, apparence...

ZÉLICA

Jésus-Christ du bon Djeu, fils de Marie, mère
du ciel!

LA PIROUNE

Les as-tu vus de proche? Quoi c'est que ç'a
de l'air?

*Les trois femmes entourent la Bessoune qui
livre petit à petit son secret.*

PATIENCE

Raconte, raconte.

ZÉLICA

Pousse pas, hein!

LA BESSOUNE

Ça faisait plusieurs souères que moi, pis Bêde-
Raide, Pissevite, Caillou, Catoune pis Pitoune, j'al-
lions ragorner des beluets dans le boute du chemin
de la Petite Enfer...

PATIENCE

Ragorner des beluets la nuit, hi, hi! Vous avez dû en ramasser des blancs.

ZÉLICA

Chut!

LA BESSOUNE

Ça fait qu'hier au souère, je nous préparions à débaucher, quand c'est-i' pas que j'apercevons queque chouse qui brille dans les branchailles, coume des élouèzes ou du feu-chalin.

ZÉLICA

Les beluets s'aviont changés en beluettes.

PATIENCE

Chut!

LA PIROUNE

Et pis quoi?

LA BESSOUNE

Et pis j'avons espèré qu'i' se passit de quoi. Ç'a point tarzé. Les beluettes avont ressoudu du bois et s'avont mis à se tortiller et se garrocher en l'air...

ZÉLICA

Mon défunt pére!

LA BESSOUNE

...et hucher, et peter...

ZÉLICA

C'est lui, sûr et çartain.

LA BESSOUNE

Moi pis les autres, je nous avons garrochés à terre de peur. Et j'ons coumencé à dire nos priéres.

LA PIROUNE

Où c'est qu'elle a appris ça?

LA BESSOUNE

Pis là, les fi-follets s'avont baillé la main et nous avont tout entourés et ençarclés. Et tout le monde s'a largué dans le reel du Pendu. Et v'là-t-i' pas qu'au beau mitan de la fête, j'avons vu s'amener la ramée de neveux et de nièces de la Veuve Enragée qui se teniont par la main: Jean-Paul, Jean-Pierre, Jean-Charles et la bande de Marie-Blanche, Marie-Rose, Rose-Aimée et Jeanne-Mance, tout empesées dans l'empois de patates, et qui s'en veniont sans le saouère à la danse des fi-follets. Le grand Jean-Charles, c'ti-là qu'a un coq sus la tête et des souliers jaunes qu'il fait crâler tout le long de la grande allée le dimanche, ben il a été le premier à s'aparceouère de ce qui se passait. Ça fait qu'il s'a crampouné à sa cousine Jeanne-Mance qui s'a écrasée sus Marie-Rose qu'a attrapé Marie-Blanche qu'a chié

39

dans ses hardes. *(Les trois autres rient aux lar-mes.)* Dans moins de temps que je peux vous le dire, tous les braves genses du Pont aviont les jambes autour du cou et des borgos dans le gosier. Et ç'a parti brailler sus leux méres, ça.

ZÉLICA

La belle jeunesse et l'avenir du pays des côtes! Hi, hi, hi!

LA BESSOUNE

Une fois tout le monde bâsi, nous autres j'avons repris à danser et chanter la chanson des fi-follets.

Elle entraîne les autres dans la danse. En pleine fête des Cordes-de-Bois, apparaît la Veuve Enragée, au fond de la salle, un fanal à la main.

LA VEUVE

Ça va faire!

Tout le monde se fige, pendant que la Veuve enfile l'allée d'un pas énergique, précédée de son fanal. Les Mercenaire, perplexes, la re-gardent s'en venir. Puis les deux camps s'af-frontent de chaque bout de la scène.

LA VEUVE, *en montrant le fanal*

Quoi c'est que ça?

40

LA PIROUNE

Mon pére m'a enseigné que c'était un fanal, et ma mére m'a dit que c'était pour éclairer le monde.

LA VEUVE

Éclairer le monde, oui; ben y a-t-i' l'un de tes aïeux qui t'arait fait accrouère que c'était itou pour les épeurer?

La Bessoune se cache derrière sa mère et ses tantes.

ZÉLICA

Les épeurer? Ben m'est avis qu'i' faut être un tordieu de peureux pour s'épeurer d'un fanal.

LA PIROUNE

Un fanal arait-i', à votre dire, déjà mangé du monde?

LA VEUVE

Un fanal qui se change en fi-follet peut ébranler la foi des chrétiens et boloxer le pays.

LA PIROUNE ET SES TANTES

En fi-follet?

Elles cherchent des yeux la Bessoune qui se sauve.

LA VEUVE

Regardez-la se sauver, la coureuse de chemins. La v'là celle-là qui organise ses chavaris au
chemin de la Petite Enfer. Pas assez que ça se débauche au bord du bois, et pas assez que ça traîne sa bande de vauriens dans les canals du chemin,
c'est rendu que ça se livre au diable et joue avec
les fi-follets. Toute la meilleure jeunesse du Pont
a vu ça à la Petite Enfer et s'en a revenue affolée pis scandalisée.

PATIENCE

Ben quoi c'est que la meilleure jeunesse du
Pont faisait à la Petite Enfer, en pleine nuit?

LA VEUVE, *qui ne l'entend pas*

Des fi-follets, hein? Ben vous voulez savouère
quoi c'est qui se cachait sous les fi-follets? Un
fanal! Votre Bessoune s'avait mis des mitaines pis
jouait à la softball avec un fanal. C'était ça les
fi-follets.

Les Mercenaire éclatent de rire.

LA PIROUNE

Je savais qu'elle avait boune tête, ma fille,
ben j'arais jamais cru qu'elle l'avait meilleure que
sa mère.

ZÉLICA

C'est la filleule de sa marraine.

PATIENCE

C'est la fille de sa tribu.

LA VEUVE

Une tribu de sauvages et de loups-cerviers.

PATIENCE

Les loups engendrent des louveteaux.
Et les borbis des aigneaux.

LA PIROUNE

Et les veuves du pays mettont au monde une descendance de côté sortie des jupes de toute la parenté : une pleine chaudièrée de neveux et de nièces qui s'avont emparés du chemin du Roi et avont laissé aux autres rien qu'une couple de sentiers de vaches pour se rendre en paradis.

LA VEUVE

Le paradis appartient à ceuses-là qu'avont su le mériter durant leur vie ; pas aux impies pis aux chenapans.

ZÉLICA

Oh ! la chipie !

LA PIROUNE

Ben gardez-le votre ciel en papier de soie et en étouèles couleurées. Nous autres, je prendrons la terre, la mer, et les goélettes venues de loin.

43

LA VEUVE

Ah oui? Et qui c'est qui les fera venir de loin, ces goèlettes-là?

ZÉLICA

Nos cordes de bois.

LA VEUVE

Vos cordes de bois! Ben ma grand foi, ça croit que ça leur appartient, ces cordes de bois-là.

PATIENCE

Coume les beluets appartenont à c'ti-là qu'appartient le champ.

LA VEUVE

Heuh! ça, vous le direz au juge. Il vous répondra, lui, que des beluets c'est des graines sauvages qu'appartenont à c'ti-là qui les ramasse. Ben des billots bûchés, ébranchés et arrondis à la hache, halés, pis cordés, et parés pour la vente, ç'appartient à c'ti-là qui fait le commerce du bois, à la sueur de son front: et ça, au pays des côtes, c'est moi, la Veuve.

LA PIROUNE

La Veuve Enragée en parsoune: corps, âme, tripes pis boyaux.

ZÉLICA

Et c'est-i' ça qu'elle s'en a venue nous dire à matin, avec son mouchoué carreauté sus le front et son châle effrangé sus l'échine, la Veuve?

LA VEUVE

Elle s'en a venue vous dire que si vous continuez à voler son bois, pour vous en faire des escaliers pis des poteaux de galerie, elle portera plainte au shérif pis au magistrat.

LA PIROUNE

Ben tant qu'à les faire venir, les magistrats pis les shérifs, faudrait du même coup leur dire que vous empilotez vos billots sus notre terre des Cordes-de-Bois, pour point les déranger deux fois, les shérifs pis les magistrats.

LA VEUVE

La terre des Cordes-de-Bois a jamais été concédée ni signée à parsoune; ça fait qu'une parsoune a autant droit d'y corder ses billots que d'autres d'y planter leurs piquets de cabane.

ZÉLICA

Jamais signée à parsoune, qu'elle dit? Ben notre défunte mére Ozite, pis sa mére Barbe, pis l'ancêtre Mercenaire venu du vieux pays et qui s'a sauvé d'un brick accosté au quai, un dimanche matin, au siècle darnier, pour venir planter sa famille et prendre racine au pays des côtes, c'est pas un lignage vrai, tout ça, qui nous a laissé la butte de pére en fi' jusqu'à ma sœur, mes nièces pis moi, les darniers rejetons des aïeux?

LA VEUVE

La butte a jamais été sévèrée, ni arpentée, ni enregistrée. Et une terre qu'a point de titres est à parsoune. C'est de pére en fi' que vous l'habitez, et ça c'est point un droit, c'est rien ce que je pourrions appeler une coutume.

PATIENCE

La même coutume qu'a forni les terres à tous les genses du pays, au coumencement. Avec la diffarence qu'entre temps, y en a qu'avont réussi à se faire écrire ça sus un papier.

LA PIROUNE

Oui, et aujord'hui, ceuses-là crachont sus les autres et cordont leur bois dans leur cour d'en airiére.

LA VEUVE

Écoutez-moi, les Cordes-de-Bois. Depuis que vous êtes au monde, et même avant, depuis que vos aïeux s'avont emparés de la butte, votre race a point tari de faire du trouble au pays. Vous empoisounez les côtes avec vos mauvaises mœurs, et vous empestez l'air que je respirons avec vos blasphèmes et vos hurlements. Ça va-t-i' durer encore longtemps ça? J'avons-t-i' point assez de gagner durement nos vies, pis de nous efforcer de faire nos devoirs de citoyens pis de chrétiens pour que le bon Dieu nous résarve notre part de ciel à la fin de nos jours, va-t-i' fallouère en plusse que je nous chamaillions entre nous autres et que je nous tirions des roches sur nos propres devants de porte?

PATIENCE

Nous autres j'avons notre devant de porte en airiére de la maison, hi, hi, hi!

ZÉLICA

Et je tirons pus de roches, j'avons passé l'âge.

LA PIROUNE

Et pis votre part de ciel, parsoune charchera à vous l'ôter. Par rapport qu'un étarnité qui ferait le bonheur de la présidente du Tiers ordre et de la moitié des confrèries de la parouesse pourrait point en même temps faire le bonheur des Cordes-de-Bois. Je nous chamaillerons pas pour ça. Gardez votre paradis d'archanges, pis vos dimanches à genoux les bras en croix. Nous autres, je garderons notre butte et nos bottes qu'accostont au quai à la belle saison.

LA VEUVE

Vos bottes? Ben savez-vous point encore, bande de chenapans, pour qui c'est que ça vient mouiller au havre, ces goèlettes-là? Vous croyez ouère, vous autres, qu'un navire prend la mer, beau temps mauvais temps, et travarse l'océan rien que pour venir garrocher sa cargaison de matelots sus la butte des Cordes-de-Bois? Savez-vous point que le jour que j'en arai eu assez, moi, et que je déciderai de pus leu vendre de bois aux goèlettes des vieux pays, que c'te jour-là vous resterez à sec et ouèrez pus un seul mousse ni un seul matelot mettre le pied sus votre buttereau?

ZÉLICA

Ben savez-vous, la Veuve, tante de la moitié des chrétiens de la parouesse qui portont le nom de Joseph ou de Marie sus leu baptistère...

PATIENCE

...la boune moitié...

ZÉLICA

...savez-vous que le jour où c'est que vous ferez ça, y'ara tout le pays qui sera à sec, à coumencer par les coffres de la Veuve et les bas de laine de tous ses neveux et nièces aouindus des jupes de ses sœurs?

LA PIROUNE

Ça s'adoune, la Veuve Enragée, que je sons point les seules au pays à vivre des bâtiments qu'accostont au havre. La seule diffarence c'est que les Mercenaire avont jamais vendu les biens du pays, ni ceuses-là des autres. Parsoune pourra jamais dire que ce qu'un étranger vient qu'ri' icitte, c'est de quoi qui nous appartient pas.

Les autres rient.

LA VEUVE

Et le vin de Saint-Pierre et le rhum de Jamaïque, ça vous appartient itou?

PATIENCE

Ç'appartient pas au pays non plus.

ZÉLICA

Ç'appartient à la Jamaïque et à Saint-Pierre-
et-Miquelon.

LA VEUVE

Et c'est avec ça que vous les saoulez et les
dévergondez, les pauvres matelots.

LA PIROUNE

Non, c'est avec ça que je les réchappons
quand ils sont trop chagrinés; et que je leur ren-
dons la vie qu'ils aviont semée goutte à goutte en
traversant l'océan. Quand ces pauvres esclaves
dévalont la butte, au petit jour, ils faisont pus le
câgoût, ils avont pus la fale basse, et ils demandont
pus après leu mére.

PATIENCE

Ben oui, la Veuve, quoi c'est que t'as contre
ça? Ça t'aïde-t-i' point dans ton négoce que durant
que tes débardeurs chargeont, je divartissions tes
matelots une petite affaire?

LA VEUVE

Mes matelots! Ben ils finiront par me faire porter tout le blâme et me mettre leurs péchés sus le dos. J'ai point besoin de parsoune pour m'aïder à mener mes affaires, ça s'adoune. Et le jour où c'est que j'arais besoin d'aïde, croyez point que c'est aux portes des Cordes-de-Bois que je m'en viendrais cogner.

ZÉLICA

Elle cognera point à nos portes, elle nous cognera sus la tête.

PATIENCE

Ce monde-là a point accoutume de cogner aux portes des cabanes, ils rentront sans frapper, coume chez eux.

LA VEUVE

Je fais vivre assez de monde coume ça sans aouère à me charger de la crasse et de la racaille du pays par-dessus le marché.

ZÉLICA

Ça fait que blâme point après ça la racaille pis la crasse d'essayer de se débrouiller tout seules pis de faire leu vie sans toi.

LA PIROUNE

Non, blâmez point parsoune.

PATIENCE

Point parsoune.

ZÉLICA

Point parsoune.

Sirène de bateau au loin. Toutes les femmes se figent. Les Mercenaire sourient puis ensemble, mains sur la bouche, imitent la sirène.

LA VEUVE

C'est ben. C'est asteur que j'allons ouère qui c'est qu'appartient la mer, pis le pays. Vous direz pas que je vous arai point avarties.

Elle part.

LA PIROUNE

Pour une qu'a choisi le paradis, me r'semble qu'elle s'agrippe fortement à la terre itou.

ZÉLICA

Pour grimper au ciel, ma nièce, te faut un escabeau ou un échelle. La Veuve Enragée, yelle, a choisi d'y grimper par le mât des bâtiments.

PATIENCE, *assombrie*

Méfiez-vous. La Veuve a les jarrets encore solides, et pourrait prendre même les Cordes-de-Bois pour escabeau. Méfiez-vous.

LA PIROUNE

Ben en espérant la fin du monde, je m'en vas aller faire un petit tour du bord du havre.

Elle part en sifflant.

ZÉLICA

Espère-moi, la Piroune. Faut que j'aille carculer combien que ça va me prendre de cruches pis de pontchines c'te fois-citte. Espère-moi.

Elle suit la Piroune.

PATIENCE

Hi, hi, hi! Et pis ç'a passé l'âge.

Elle reprend sa chanson du début, range sa laine, ramasse un rondin, et suit les autres en clopinant.

Scène II

sur le quai, après-midi

La Bessoune, canne en mains, chante la chanson de Patience en dansant pour des matelots imaginaires. Soudain apparaît la Piroune qui la regarde, visiblement fière et charmée. Déjà la Piroune secoue les hanches. Puis elle applaudit.

LA PIROUNE

Bravo! bravo, ma fille! Bounes jambes, échine droite, cagouette planté solide dans le cou, bravo!... Ben tu l'as pas, tu l'as pas pantoute. T'es pas aux deuxièmes noces à ton troisième pére icitte; t'es sus un quai. Pis un quai... Écoute-moi ben, la Bessoune: c'est ta mére qui parle. Et dis-toi que n'importe où c'est que tu passeras dans la vie, j'y arai passé avant toi; et n'importe quoi c'est qui t'arrivera, m'ara déjà arrivé à moi, ta mére, pis à ta grand-mére Ozite, pis à ta grand-grand-mére Barbe, pis à tous tes aïeux. Ça fait qu'apprends ben tes leçons. C'est à ça que ça sert d'aouère boune tête, et d'aouère l'âme plantée dans le ventre de ta race.

LA BESSOUNE

Je peux pas ouère quoi c'est que l'âme pis la tête venont faire là-dedans.

LA PIROUNE

Ah! non? Ben dans ce cas-là, t'en as encore plusse à apprendre que je croyais. Par rapport que la premiére chouse à saouère dans la vie, c'est que tu danses point avec tes jambes, et que tu chantes point avec ton gosier. Non, non. Une parsoune vraiment counaisseuse chante des reins et danse du bec.

LA BESSOUNE, *mi-naïve, mi-amusée*

Ben coument c'est qu'on fait ça?

LA PIROUNE

Avec ta tête pis tes rognons. *(Elle rit.)* Rouvre-toi les yeux, les ouïes, pis les narines, ma fille. Surtout les narines. Le meilleur de la vie nous arrive tout le temps par le nez. Tu sens le trèfle au printemps, tu sens le foin coupé, et les feuilles brûlées, et le bois au moulin à scie, et l'écume qui garroche son goémon sus la côte; tu sens un houme, itou, avant de l'entendre cogner à ta porte. Ça fait que coumence par éventer le monde, une petite affaire, autour de toi, pour trouver ta place. Tu ouèras que t'aras bétôt fait de décourvir où c'est que t'appartiens.

LA BESSOUNE, *fière*

J'appartiens aux Cordes-de-Bois.

LA PIROUNE

Et pis les Cordes-de-Bois, où c'est que ç'appartient? Ta cour d'en avant, c'est la mer, et ta cour d'en airiére c'est les champs. Toi tu marches raide sus une barriére entre la terre et l'océan... Entre la terre et l'océan: c'est ça une Cordes-de-Bois.

LA BESSOUNE

Ça que les autres appelont une fille à matelots.

LA PIROUNE

Les autres! Les autres, c'est les Marie-Rose, et les Marie-Blanche, et les Jeanne-Mance, et les Rose-Aimée... les nièces de la Veuve qu'avont toutes été ondoyées dans l'empois en venant au monde, et qu'avont sorties du bénitier raides coume des blés d'Inde en épi. Ça fait que jamais je croirai que ça sera ces onze mille vierges-là qu'allont asteur décider la destinée d'une Mercenaire des Cordes-de-Bois. Quitte-les, ces empesées-là, faire leu vie avec l'argent de leu pére et les priéres de la Veuve Enragée. Quitte-les se borcer sus leu galerie en regardant la vie leur passer sous le nez. Une vie qui passera point deux fois, souviens-toi de ça.

LA BESSOUNE

La tante Patience me l'a déjà dit, ça. Ben ça l'empêche point, yelle itou, de regarder passer la vie sus son devant de porte depuis que je suis venue au monde la tête la première, moi.

LA PIROUNE

Ça c'est point vrai.

LA BESSOUNE

Elle se borce point sus son devant de porte, la Patience?

LA PIROUNE

T'as point venue au monde la tête la premiére. T'as arrivée en mettant un pied devant l'autre, coume si t'avais déjà coumencé à faire ton chemin tout seule, en vraie Cordes-de-Bois. Y a pas une nièce de Veuve que je counais qu'arait pu faire ça; ça fait que va point demander à ce monde-là coument te comporter ici-bas. Laisse la vie te montrer à vivre. C'est la seule chouse sous la calotte du ciel qui se trompe pas.

LA BESSOUNE

Heuh! ça c'est point çartain.

LA PIROUNE

Coument c'est point çartain?

LA BESSOUNE

Une vie qui baille tout le temps aux mêmes les meilleurs morceaux a point de leçon à douner à parsoune. Et je m'y fie point, moi.

LA PIROUNE, *en aparté*

Hé-hé, pas si folle, la petite. (*À la Bessoune.*)

Ben si tu mets point ta fiance dans la vie, où c'est que tu la mettras?

LA BESSOUNE

Pourquoi c'est que faudrait-i' mettre sa fiance queque part? Les Cordes-de-Bois avont jamais compté sus rien d'autre que sus leu butte, c'est la Zélica qui l'a dit.

LA PIROUNE

La Zélica qu'a pourtant été la premiére à compter sus tout ce que la mer crachait sus les côtes: à coumencer par les matelots.

LA BESSOUNE

Ça c'est point pareil, ça vient de loin.

LA PIROUNE

Évente et tu t'apercevras que la vie sent tout le temps la vie: qu'elle venit de ton devant de porte ou du boute du monde... Ben sûr, quand ça vient de loin, ça sent pus fort. Ça fait que rouvre-toi ben les narines, pis essaye de démêler du premier coup un matelot d'un pêcheux de hareng pis de morue. C'est ça qui s'appelle counaître son métier. Oublie jamais qu'une Cordes-de-Bois doit saouère marcher sus la barriére qui sépare la terre de l'océan, droite, la tête haute, l'œil à pic. Le moindre faux pas, et la v'là à l'eau. Ça fait que prête point l'oreille à tous les marmottages et tous les radotages qui se faufilont entre les barreaux de galeries: ça pourrait te faire pardre le ballant. Écoute point les

conseils de parsoune... Tu m'entends, tête dure?
Ta mére te parle.

LA BESSOUNE

Ma mére me parle! ma mére me parle! ma
mére pourrait pas pour un change me montrer une
petite affaire à chanter avec l'échine et danser avec
le bec?

LA PIROUNE

Petite effarée! Qui c'est qui t'a élevée?

LA BESSOUNE, *en aparté*

Ma mére.

LA PIROUNE

Parler de même à c'telle-là qui l'a mise au
monde! Passe-moi ça. *(Elle lui prend le bâton des
mains.)* Sais-tu seurement coument ça se noume,
ça?

LA BESSOUNE

Un rondin.

LA PIROUNE

Un rondin! un rondin! Non, ma fille. Ça, c'est
tout ce que t'en feras dans la vie. Ç'a déjà été la
banniére des Dames de Sainte-Anne qui enfilont la
grande allée chaque premier dimanche du mois en
chantant *J'irai la voir un jour* et en demandant
au bon Dieu de bailler aux bons leu pain quotidien

et de pardouner leux offenses aux Cordes-de-Bois ;
ça fait qu'il faut point noumer une banniére un
rondin, c'est y manquer de respect... Ça peut s'appeler itou le bâton des majorettes de la Marie-Rose
et la Marie-Blanche quand c'est que ça s'en vient
tout endimanchées défiler tout le tour de l'école le
24 de mai en faisant : hop ! hop !... Et pis, à tous les
deux ans, c'est la crosse en or pur de l'arche-
vêque qui grimpe une à la fois les marches de
l'église pour venir bailler une petite tape sus la joue
aux enfants qui savont par cœur et sus leux doigts
toutes les pages du grand catéchîme... C'est le
bâton de vieillesse à la tante Patience qui s'avance
de côté dans la vie, coume un crabe, et ricasse sus
le monde qu'elle regarde d'en dessous de ses usses
et à travers les rideaux de ses yeux... C'est les
cannes fines de dindoune à la tante Zélica qu'a
point encore passé l'âge... C'est le poteau de galerie de la Veuve Enragée, planté en plein cœur de
pays des côtes, en face de l'arbre des Mercenaire
pitché sus le faît de la butte des Cordes-de-Bois
par l'ancêtre sorti de la mer, cent ans passés...
C'est le plus haut mât de la plus grousse goèlette
venue des vieux pays, qui à la belle saison accoste
au havre et débarque sa cargaison de matelots
sus nos marches-de-pied.

...Des beaux matelots aux yeux bleus et chagrinés, à califourchon sus le beaupré, des grands
dimanches après-midi, à rêver après leux pays
chauds. Tu t'approches par les petits sans faire
mine de rien, les mains dans le dos coume si tu les
voyais pas, et tu chantes pour les becs-scie pis les
goèlands...

Elle se lance dans un numéro de cabaret pour matelots. La Bessoune rit et applaudit. Au beau milieu de la danse, Tom Thumb atterrit sur le quai dans une pirouette. Les deux femmes se figent. Et c'est le matelot alors qui fait son numéro de cabaret. À la fin, les Mercenaire applaudissent.

TOM THUMB

Tom Thumb, fils de Dick, fils de Pat, fils de Pat à Dick à Tom.

LA BESSOUNE

D'où c'est qu'il sort?

TOM THUMB

De la plus belle des îles d'outre-mer, pleine de trèfles à quatre feuilles, avec des dragons plus gros que des chevaux qui s'en viennent chaque nuit dévorer tout habillés des régiments de soldats et faire peur aux petits enfants.

LA PIROUNE

Pouah! c'est un Anglais!

LA BESSOUNE

T'es un Anglais?

TOM THUMB

Anglais! Outch! (*Il crache.*) Aussi Anglais qu'un prince est un crapaud. Irlandais, le Tom

Thumb, sorti tout chaud coume un petit pain de l'Irlande de saint Patrick et de tous les saints ermites, saints moines, saints évêques, saints navigueux et saints volants.

LA PIROUNE

Saints volants?

TOM THUMB

Ben le Brendan, qu'est-ce que vous en faites, hein? Vous croyez, vous, qu'on peut sur un misérable bâtiment franchir les mers et les océans infestés de baleines blanches et de serpents de mer? Il volait, saint Brendan, et parlait d'homme à homme comme je vous parle avec Dieu lui-même.

LA BESSOUNE

Oh!

LA PIROUNE

Ben tant qu'à faire, vous pourriez point y demander, à votre saint voleux, de venir décrocher sa camisole à la Zélica qui s'est envolée de la ligne à hardes et qui flotte depuis une semaine dans le mât de la salle paroissiale, au-dessus du pays? Pis si le mât est trop haut pour lui, qu'il demande au bon Djeu qu'il counaît d'houme à houme de le baisser une petite affaire.

TOM THUMB

Ah! comme ça vous voulez point croire à

Brendan? Et si Abraham a pu faire des miracles; et toute sa lignée de petits juifs qui parlaient à Jéhovah, comme Tom Thumb à son capitaine; et le Moïse qui huchait en levant la tête chaque matin: « Hé, Dieu! j'ai faim!» ou le Jonas, lui, qui jurait en montrant le poing au ciel en sortant de sa baleine par le mauvais bout... ben notre Brendan à nous, c'était-i' moins qu'un juif?

LA PIROUNE

Nous autres, j'avons au pays une créature qu'est aussi juive qu'un juif; et qui parle jour et nuit au bon Djeu sans mettre ses gants; et qu'arait eu fait corver n'importe quelle baleine qu'arait eu le malheur de l'envaler. Ben malgré ça, je l'avons encore jamais vue partir en l'air, la chipie.

Tom Thumb se met à rire et entraîne les deux autres.

ZÉLICA, *de loin*

Espère-moi, la Piroune!

TOM THUMB

C'est l'aïeule?

LA PIROUNE

La fille à l'ancêtre, la sœur au paternel, la tante à la mére à ma fille.

TOM THUMB

Si j'ai bien compris, c'est un petit brin de la parenté.

ZÉLICA, *qui arrive*

Ah! vous v'là toutes déjà rendues. Mes propres descendantes sont des vipères qui pourriont me dévorer la mouelle des ous sans prendre la peine de leur ôter la peau.

LA PIROUNE

La tante Zélica c'est la seule sorciére au pays capable de ramener un agonisant avec trois gouttes de sirop Lambert dans un gallon de biére aux méres.

ZÉLICA

Écoutez-moi c'te garce!

LA BESSOUNE

Ben découragez-vous pas: aux matelots, elle leur passe trois gouttes de biére aux méres dans un gallon de sirop Lambert.

ZÉLICA

Ah! v'là l'autre qu'a déjà toute son éducation de faite. *(Au matelot.)* Et vous, vous venez de débarquer? C'est-i' de la Norvége ou ben de la Hollande que vous ersoudez c'te fois-citte?

Tom Thumb n'a pas le temps de répondre que les deux autres le devancent.

LA PIROUNE ET LA BESSOUNE

De l'Irlande.

ZÉLICA

L'Irlande! l'Irlande asteur! Ben pourquoi c'est faire de l'Irlande? Ah! non! j'avons assez d'Irlandais coume ça au pays. Les O'Brien, les O'Botton, les O'Keefe, les O'Henry, oh! marde, c'est assez. Pas besoin encore d'Irlande. Et pourquoi c'est que vous avez ersoudu d'Irlande, vous? J'avons eu le mois passé l'Allemagne, pis la France, pis une pleine goèlette de Russiens, apparence. Asteur c'est le tour à la Hollande pis à la Norvége qu'avont point encore mouillé au pays c'te année.

LA BESSOUNE

Vous seriez aussi ben de point venir d'ailleurs que de la Norvége.

LA PIROUNE

Ou ben de l'Italie avec ses Italiens frisés qui chantont *L'Hirondelle* en latin.

TOM THUMB

J'ai vu le jour en Irlande, je viens d'Irlande, et je mourrai en Irlande, y aura pas un pape à Rome pour me faire changer d'idée là-dessus.

ZÉLICA

C'est ben, c'est ben, gardez votre Irlande...

votre petite île coincée queque part entre la Chine pis la Jamaïque et qui sarait même pas faire une cruche de gin, je gage.

TOM THUMB

Entre la Chine et la Jamaïque? Et qui saurait pas faire du gin! Ah! la son of a bitch!

ZÉLICA

Oh! vous l'avez entendu? Il m'a insultée, le son of a gone!

LA PIROUNE

Tout court, tout court! pas de chamaille si tôt que ça. Au pays j'attendons tout le temps au moins la brunante avant de nous prendre aux cheveux. La Bessoune, va sortir le grand chaudron de fonte. Aujourd'hui, j'allons faire un fricot.

LA BESSOUNE

Avec quoi? la chatte?

LA PIROUNE

Passe par la cour d'en airiére à sus la Veuve. C'est l'heure que son coq dort dans le tet à poules.

La Bessoune file.

LA PIROUNE

Venez, le matelot, faut vous instruire sus les mœurs du pays pour point que vous vous mettiez le bon monde à dos. Par icitte, vous savez, je sons ben chatouilleux...

Elle sort en entraînant Tom Thumb. Zélica hausse les épaules.

ZÉLICA

L'Irlande! Heuh! *(Elle examine le bateau avec dédain, puis décide d'attaquer.)* Ben un Irlandais, tant qu'à ça, ça peut aouère ben soif un jour de doux temps.

Elle s'en va vers le bateau. Patience traverse la scène en chantant, buvant et dansant avec sa canne. Puis entre la Veuve en trombe. Elle s'empare d'une fouëne qui traîne sur le quai.

LA VEUVE

Ç'a déjà passé par icitte, toute la bande des Cordes-de-Bois. *(Elle trouve une cruche.)* Et ç'a déjà coumencé à faire ses ravages. J'arons-t-i' ben jamais la paix? Je finirons-t-i' ben pas un jour par arriver les premiers, par les empêcher de faire leu dégât? Jamais je croirai! Jamais je croirai qu'ils allont encore s'emparer de c'te goèlette-icitte. Faut que je règle ça une bonne fois pour toutes. La mer est là pour charrier du bois pis de la marchandise, pas des matelots avec leux mauvais livres et leux mœurs dévargondées. Le pays entier finira par y pardre son âme. Faut empêcher ça. Parce que l'âme, ça s'adoune, ça c'est pus le butin des Cordes-de-Bois. Ils avont choisi la terre, et la vie ici-bas, ben qu'ils nous laissions au moins sauver nos

66

âmes et notre paradis. Ils sont pas pour toute aouère. Si le bon Dieu est juste... pardonnez-nous, Seigneur, de vous aouère offensé. *(Elle se signe.)* Je sais que vous, au moins, vous êtes juste. Vous saurez punir les méchants et récompenser les bons. Vous permettrez point que ceuses-là qu'avont déjà eu leu joie ici-bas en ayant encore de l'autre bord. Ça serait pas juste que les chenapans et les vauriens héritiont de la même récompense étarnelle que nous autres. Et vous permettrez pas ça.

...Durant soixante ans, oui, soixante ans, j'ai fait chaque semaine mon premier vendredi du mois ; et mes trente-trois chemins de croix pour les âmes des fidèles trépassés les bras en croix ; et mon carême d'abstinence et de continence et de hareng salé ; et j'ai baillé à la quête, et dans le tronc de saint Antoine, et pour les missions ; et j'ai douné à manger à ceuses-là qu'aviont faim, et à bouère à ceuses-là qu'aviont soif, et j'ai pardouné à ceuses-là qui vous aviont offensé. Tout ça pour ouère un jour les Cordes-de-Bois s'en venir nous marcher sus les pieds auprès du trône de la Cour céleste ? Jamais !

... Ils avont déjà choisi, ceuses-là. Ils avont choisi de manger le vendredi du baloné, et de la boudiniére, pis du fricot à la poule qu'ils avont raflée dans mon propre poulailler ; ils avont choisi de nous réveiller chaque nuit en chantant *Parlez-moi d'amour* et *Ramona,* jouqués sus le faît de mes cordes de bois ; ils avont choisi de mettre l'argent de la quête et de la dîme sus un cheval de course chaque dimanche après-midi ; et à la place de gagner leu vie honnêtement, à charger du bois, dans les goélettes, ils avont choisi les... les matelots, qui passont leux nuits sus la butte. Des nuits de saoulerie pis de débauche. Vous les avez vus, mon Dieu, vous le savez mieux que personne ce qu'i' se passe là, la nuit.

... Des nuits sans penser à vous, sans penser à l'Au-delà, sans distinguer le bien du mal... en se laissant aller jusqu'au péché, au délire, à l'amour défendu... l'amour défendu... le péché... ah!... Non! jamais! j'accepterai jamais! Vous acceptez ça, vous? Vous trouvez ça juste que toute sa vie Patience ait ri, chanté, bu au goulot sa flacatoune du pays? et que Zélica continue de pratiquer en dessous sa petite contrebande de rhum des îles et de vin de Saint-Pierre-et-Miquelon? et que la Piroune, pis sa Bessoune, rouliont nuit après nuit dans les bras des plus beaux et des plus jeunes matelots des vieux pays? Tout ça sans être punies? Tandis que nous autres, c'est les maringouins qui nous pinçont entre nos draps; et c'est le travail quotidien qui nous met la sueur au front; et c'est vos louanges, Seigneur, que je chantons, oui, à nous égosiller!

On entend chanter Zélica. La Veuve l'aperçoit et fait une énorme grimace.

LA VEUVE

Ah!...

Elle s'en va, emportant la fouëne, Zélica revient en versant la dernière goutte de sa cruche et en chantant.

ZÉLICA

I'se the b'y, that builds the boat,
I'se the b'y that sails her,
I'se the b'y that catches the fish,
And brings 'em home to Liza.
L'Irlande! qui c'est qu'arait eu dit ça de
l'Irlande, asteur!
I's the b'y that builds the boat...

Elle s'éloigne.

Scène III

aux Cordes-de-Bois, à la brunante

Zélica brasse le fricot dans un grand chaudron de fonte. La Piroune, à califourchon sur un baril, bâton en main, chante et bat la mesure. Tom Thumb entraîne la Bessoune dans une danse irlandaise. Patience joue de l'harmonica.
Atmosphère de carnaval. La Veuve entre, précédée de sa fouëne: réplique de l'opposition de carême et mardi gras de Bruegel.

PATIENCE

J'ons de la visite du bord du sû.

LA PIROUNE

Attention, c'est la chipie. Tout le monde en garde.

LA BESSOUNE

Aouindez les fusils à plomb.

PATIENCE

Cachez les poules.

ZÉLICA

Chut !

LA VEUVE

Ben là, c'est assez !

LA PIROUNE

Assez de quoi ?

LA VEUVE

Assez de forlaquerie, assez de débauche, assez de scandale au pays !

LA PIROUNE

Je sons sus notre butte icitte, la Veuve. Et si je forlaquons, c'est entre nos trèfles et notre chiendent.

LA VEUVE

C'est au beau mitan de la parouesse, au plein cœur du pays des côtes. Oui vous avez beau jeu du faît de votre buttereau de faire dégringoler vos roches jusqu'à nos marches de galeries. Vous croyez, parce que vous êtes jouqués pus haut, que vous allez jusqu'à la vie étarnelle cracher sus le pont et le village accroupi à vos pieds. Un village qu'a pourtant sa vue sus l'océan et sa porte ouvarte sus le monde. Ben qui peut pas se mettre à

71

genoux pour faire des priéres sans sentir les yeux des Cordes-de-Bois dans son dos. *(En aparté.)* C'est rendu que mes nièces pouvont pus lever le nez sus une Mercenaire sans se bailler un tour de reins. *(Aux autres.)* Ben si vous croyez que j'allons pleyer l'échine devant la Bessoune, ou la Piroune, ou tous les Mercenaire des Cordes-de-Bois, j'aimerions mieux nous faire craquer chacun des ous qu'attachont le cagouette aux talons.

LA PIROUNE

Ça je le ferions avec joie si j'avions des crocs-barres à la place des hariottes.

TOM THUMB

Qui c'est? Et qu'est-ce qu'elle veut?

LA BESSOUNE

C'est la Veuve Enragée.

TOM THUMB

Enragée, all right!

LA PIROUNE

Et elle veut notre peau. Ben ça sera malaisé, par rapport que j'avons la peau collée sus les ous depuis qu'ils avont essayé de nous affamer.

LA VEUVE

Je voulons ni vos ous ni votre peau, ni vos

cabanes tant qu'à ça. Je voulons la paix. Ça fait cent ans que ça dure, c'te chavari-là.

TOM THUMB

Je l'aurais pas crue si vieille que ça, quand même.

LA VEUVE

Cent ans, ça va faire! Là je coumençons à aouère la patience fortement usée.

ZÉLICA

Ben pornez exemple sus les Mercenaire: choisissez-vous-en une qui s'use point. *(Elle indique Patience.)*

LA VEUVE

C'en est d'autres que moi qu'aront besoin de choisi', ben vite. Ben vite il leu faudra choisi' entre bâsir ou mourir de faim. Et coume ç'a jamais été accoutumé à penser au lendemain, je crois ben que ça finira par mourir de faim!

PATIENCE

La garce vient de changer son fusil d'épaule, pornez garde et restez pas devant.

LA PIROUNE

Ben je crois point qu'il seyit chargé encore, j'avons le temps.

LA VEUVE, *à Tom Thumb*

À votre place, matelot, je tarzerais point à m'embarquer. Votre bâtiment espèrera pas la prochaine lune pour mouiller au large c'te fois-citte.

TOM THUMB

Qu'est-ce qu'elle dit, la petite mère?

PATIENCE

Elle jette du lest.

LA PIROUNE, *grave*

Nenni, c'est son dix de carreau, qu'elle garroche. Tenez-vous ben et larguez pas: si la Veuve décide d'aouindre son as de pique, rien que pour aouère le darnier mot avec les Cordes-de-Bois, j'arons besoin de jouer sans atout.

PATIENCE, *qui sort une carte de sa poche*

Hi, hi, hi! il nous reste la dame de cœur.

LA BESSOUNE

Et un jack de trèfle à quatre feuilles.

LA VEUVE

Il vous restera vos guénilles, vos grabats et vos cabanes en papier nouère, quand c'est que j'arai jeté ma darniére carte sus la table, moi. Parce qu'y a point un chrétien digne de ce nom-là qui supporterait pus longtemps les sacrilèges

74

et les ordures que vous nous jetez au nez. Non!
ç'a assez duré... Pourquoi c'est que ça serait-i'
les mêmes qui chanteriont tout le temps le pus
fort, hein?

LA PIROUNE

Par rapport que c'est ceuses-là qu'avont le
meilleur gousier et les pus grous pommons.

LA BESSOUNE

Et c'est ceuses-là les seuls qui savont chanter
des reins et danser du bec.

TOM THUMB, *qui fait tourner la Bessoune*

You hou!

LA VEUVE

Je vois que vous élevez ben votre progéni-
ture et qu'elle sera digne de ses aïeux, c'telle-là.

LA PIROUNE

Faut ben, si je voulons affronter l'ancêtre
fondateur des Cordes-de-Bois au jour du Jugement
darnier. Faudra y rendre son butin aussi propre
qu'il nous l'a laissé.

LA VEUVE

Trompe-toi pas, la Piroune; au Jugement darnier, c'est point au fondateur des Cordes-de-Bois
que t'aras des comptes à rendre, toi, ben au Créa-

teur du ciel et de la terre. Et ça pourrait s'en venir pus vite que tu crois, le Jugement darnier.

LA PIROUNE

T'as raison, et c'est ben pour ça: si la fin du monde s'en vient, il est grand temps de partir tout de suite si je voulons en faire le tour avant qu'il sautit.

LA VEUVE

Tu crois peut-être, mécréante, que ça va se passer Là-Haut avec la Cour céleste coume ça se passe icitte dans ta cour des Cordes-de-Bois? Tu crois peut-être que tu feras rire les anges et les saints avec tes blasphèmes et tes histouères à double sens? Si tu crois que c'est de même que tu vas te gagner saint Pierre qui tient les clefs du Paradis, et la boune sainte Anne qui...

LA PIROUNE

Ben si la boune sainte Anne, et le bon saint Pierre, et le vieux saint Joseph en parsoune, tant qu'à y être, sont trop fussy pour rire, c'est point moi qui ira leur chatouiller les côtes.

ZÉLICA

Ni moi qui leur pigouillera la plante des pieds.

LA VEUVE

Elles blasphèment, les païennes!

LA PIROUNE

La seule chouse, ils devriont nous avartir tout de suite si le ciel est triste pis hargneux, nous avartir avant que je décidions si je voulons y aller. Parce que si je sons pour nous présenter à la porte du paradis avec nos gueules fendues jusqu'aux oreilles et en nous tenant les côtes, et que je nous trouvions tout d'un coup face à face avec la Sainte Face ou avec Notre-Dame des Sept Douleurs...

LA VEUVE

Seigneur, pardounez-y, elle sait pas ce qu'elle dit.

LA PIROUNE

Ah! c'est pas que j'avons l'intention d'apporter nos bombardes et nos ruine-babines de l'autre bord, ils contont que là-bas la musique est fornie, ben faudrait au moins que j'ayons le choix de taper du pied si quequ'un se met à jouer de la harpe ou chanter alléluia.

ZÉLICA

Ou ben si l'archange saint Michel vient câler la danse.

LA VEUVE

Taisez-vous, mécréantes!

PATIENCE

Priez pour nous!

LA VEUVE

Païenne ! pécheresse !

PATIENCE ET LA BESSOUNE

Priez pour nous !

LA PIROUNE

Voyez-vous, si en haut ils passont leux matinées à prier et leux après-midi à suivre la procession, moi j'aimerais autant aller en bas à pelleter du charbon le matin, et l'après-midi regarder passer la procession.

LA VEUVE

Sainte Mére de Jésus, fils de Dieu !

PATIENCE, LA BESSOUNE, TOM THUMB

Priez pour nous !

LA PIROUNE

Non, faut que l'Autre Monde se décidit droite asteur et nous disit ce qu'il comptit nous offrir. Ça sera pas dit, après toute, que les pauvres d'ici-bas seyont encore destinés à être les pauvres de là-haut. Ça serait pas juste. Je voulons aller là où c'est que je nous ferons respecter, et traiter coume les autres, et où c'est que pus rien sera au-dessus de nos moyens... là où c'est que je nous ennuyerons pas de c'te monde icitte.

LA BESSOUNE

Et où c'est que je pourrons encore virer une quadrille en souvenir du pays. Tam-di-di-lam...

Tout le monde se remet à brasser le fricot, danser, battre la mesure comme au début de la scène.

LA VEUVE

Arrêtez! arrêtez, vipères, possédées du démon!

TOUS

Priez pour nous!

LA VEUVE

Sépulcres d'enfer!

TOUS

Priez pour nous!

LA VEUVE

Le tonnerre du ciel timbera sus votre butte maudite!

TOUS

Priez pour nous!

LA VEUVE

Dieu vous détruira, et vous écrasera de son

talon, et vous changera en statues de sel coume
Sodome et Gomorrhe!

TOUS

Intercédez pour nous!

LA VEUVE

Que le feu du ciel détruise à jamais le sol
empoisouné des Cordes-de-Bois!

*Elle perd la tête et se lance dans un splendide
carnage des Cordes-de-Bois, frappant de sa
fouëne et renversant tout. La Piroune tombe
de son baril. Les Mercenaire et Tom Thumb
tentent de se défendre, mais la Veuve, com-
plètement déchaînée, saccage et domine la
scène, pendant que le rideau tombe.*

Denise Filiatrault

Viola Léger

Benoît Marleau

Adriana Roach

Janine Sutto

Kim Yaroshevskaya

Mercedes Palomino, directeur administratif du Théâtre du Rideau Vert; Yvette Brind'Amour, directeur artistique du Théâtre du Rideau Vert et metteur en scène de *La Veuve Enragée*; Antonine Maillet, l'auteur.

Janine Sutto et Kim Yaroshevskaya

Adriana Roach, Janine Sutto, Kim Yaroshevskaya

Viola Léger et Benoît Marleau

Viola Léger et Denise Filiatrault

Kim Yaroshevskaya, Janine Sutto, Adriana Roach,
Benoît Marleau, Denise Filiatrault

Adriana Roach, Benoît Marleau,
Denise Filiatrault

Viola Léger, Kim Yaroshevskaya, Adriana Roach,
Denise Filiatrault, Benoît Marleau, Janine Sutto

ACTE II

Scène I

sur le quai, à l'aube

La Veuve, seule, crie aux gens du bateau.

LA VEUVE

Hey! jeune houme! Où c'est qu'il est, votre capitaine, à matin?

TOM THUMB, *off*

Il est parti.

LA VEUVE

Comment, parti? Ben il a point pu prendre la mer à pied, toujou' ben?

TOM THUMB, *off*

Il est dans le bout des Cordes-de-Bois.

LA VEUVE

Déjà? *(En aparté.)* Seigneur Dieu! un autre qu'a passé la nuit sus la butte. *(Au bateau.)* Quoi c'est qu'il a été faire là, de si boune heure?

83

Tom Thumb saute sur le quai.

TOM THUMB

Il a été compter combien qu'il restait de cordes de bois à embarquer.

LA VEUVE

Ah! c'est vous encore, y a-t-i' rien qu'un matelot dans c'te goèlette-là?

TOM THUMB

Il y a rien qu'un second: et ça c'est Tom Thumb. Et quand le capitaine est saoul, Tom Thumb est premier.

LA VEUVE

Ben vous y direz à votre capitaine, quand il s'assobrira, qu'il a point affaire à compter le bois qui me reste; par rapport que ça qui me reste, j'ai point l'intention de le vendre à parsoune. Vous y direz ça de la part de la Veuve. Après ça, vous pourrez appareiller quand c'est que ça vous le dira. Icitte y a pus de bois à vendre.

TOM THUMB, *en aparté*

Elle s'est fait caresser à brousse-poil ce matin, la petite mère. Goddam!

LA VEUVE

Tant qu'à y parler, autant l'avartir tout de suite que ç'annonce de l'orage du bord du sû, et

84

qu'une goèlette arait avantage à profiter du beau temps tant que ça dure.

TOM THUMB, *en aparté*

The ol' bitch! *(À la Veuve, pour la distraire de son idée.)* Avez-vous déjà vu lancer le câble dans les mâts?

LA VEUVE, *qui ne se laisse pas distraire*

J'ai déjà vu lever le pont pour y laisser passer un trois-mâts ersoudu des côtes de Bretagne et qui se rendait au quai d'en haut; pis j'ai vu un matelot en souliers de bois grimper au-delà de la demi-lune pour y déniger un bambin pogné dans les cordages des haubans; j'ai vu itou, sus l'empremier, une sorciére de vent ravager une douzaine de maisons sus son passage pis s'en venir s'éteindre droit icitte, dans la baie, en passant juste entre les mâts d'une goèlette accostée au havre; pis j'ai vu des baleines, et des vaches marines, et des loups-marins par milliers atterris sus nos glaces l'hiver, et tout ce que la mer cache de dangereux pour la vie du corps et celle de l'âme des chrétiens. Ça fait qu'après ça, faut point venir me demander à moi, la Veuve, si j'ai déjà vu faire un noucle de matelot.

TOM THUMB

Ouais!

LA VEUVE

Ouais!

TOM THUMB

Ben moi, j'ai vu la danse des dauphins dans les mers du sud; et la bouchette-à-cachette des cachalots entre les icebergs dans le grand nord; et à l'est, au soleil levant, un océan tout picoté de petites îles roses et vertes, remplies de singes qui grimpent dans les bananiers, et de baboounes qui font comme ça...

LA VEUVE

Et au soleil couchant, vous avez grimpé vous-même la butte des Cordes-de-Bois où c'est que les baboounes sont des Piroune et des Bessoune qui avont déjà coumencé à vous ronger l'âme. Si vous voulez un bon conseil, matelot...

TOM THUMB

C'est pour ça que j'ai pris la mer, pour plus entendre les bons conseils, à l'âge de quatorze ans.

LA VEUVE

Ben aujord'hui si votre mére vous voyait vous frotter aux pires vauriennes du pays qui finiront par vous dévorer jusqu'à votre chemise! Repornez la mer tandis qu'il est encore temps, jeune homme.

TOM THUMB

Premièrement j'ai pas de chemise, mais une vareuse, tissée dans l'étoffe du pays d'Irlande. Et ça m'offenserait pas de la laisser à l'une de ces belles créatures sorties des mains de Dieu le père lui-même qui a créé le ciel et la terre.

LA VEUVE

Arrêtez-vous de blasphèmer! On voit ben que les Mercenaire avont déjà coumencé à vous déteindre sus la peau.

TOM THUMB

Christ Almighty! pouvez-vous me dire quoi dans le diable qu'ils vous ont fait, ces Mercenaire-là, pour que...

LA VEUVE

Quoi c'est qu'ils m'avont fait? Pour un grand navigueux et grand voyageux qu'a vu des dauphins, des îles roses et pis des cachalots, vous me semblez pas ben counaisseux du monde et de la vie, matelot. Ils avont coumencé par chavirer le pays, ces païens-là, dès qu'ils avont mis le pied sus les côtes, y a cent ans. Avant que ça s'amenit, ça, j'avions la paix icitte, et je pratiquions les coumandements de Dieu et de l'Église, et les vartus cardinales et théologales, sans faire de tort à parsoune et sans que parsoune nous dérangit. Pis y avait de l'ordre au Pont. La nuit c'était pour dormir, et le jour pour travailler. Parsoune de nous autres arait eu l'idée de changer ça, pis d'entreprendre de flâner le jour pis travailler la nuit.

TOM THUMB
Ben ça, ça dépend du travail de chacun.

87

LA VEUVE

Ça dépend de la bonté pis de la mauvaiseté du monde, c'est de ça que ça dépend. Quand c'est que c'est rendu que tu sais pus où bailler de la tête pour élever ta descendance qu'a jour et nuit les mauvais exemples sous les yeux; quand c'est que c'est rendu que tu sais pus à quel instant tu vas te faire crier des noms, et tirer des roches, et voler tes poules dans ton propre poulailler; et quand c'est que c'est rendu que même ton commerce de bois est en danger par rapport que... par rapport que... oui, par rapport que les genses honnêtes sont obligés de choisir entre pardre leur âme ou pardre leur négoce avec les navires étrangers.

TOM THUMB

Qu'est-ce que vous dites là, la mére?

LA VEUVE

Je dis là que je sons obligés de chasser vos bottes pour les empêcher de contaminer le village.

TOM THUMB

Contaminer! Christ Almighty! ben...

LA VEUVE

Ben oui, contaminer! Salir, empester, pourrir par en dessous.

TOM THUMB

Oh! là, la Veuve...

LA VEUVE

Allez-vous-en! Allez-vous-en tout', bande de sans-Dieu! Et dites-y, à votre capitaine, qu'en partant, j'y laisserons embarquer toutes les créatures des Cordes-de-Bois, s'il veut rien que promettre de point nous les ramener, jamais.

TOM THUMB

La chipie!

LA VEUVE, *soudain illuminée*

Tiens!... promettez-moi rien que de charger les Mercenaire sus le faît des cordes et vous arez tous les billots que vous pourrez emporter; je vous les laisserai même à moitié prix, c'te fois-citte...

TOM THUMB

Quoi c'est que ça, la mère, nous prendriez-vous pour des kidnappeurs par hasard? Auriez-vous oublié que l'équipage qui dort dans les hamacs de cette goèlette-là est sorti en droite ligne de saint Patrick et du grand Brendan, le héros des mers?

LA VEUVE

Il descendrait-i' de notre saint Pére le pape, un matelot c'est un matelot, et c'est point à moi qu'il s'en viendra faire des accrouères. Vous avez rien qu'une chouse en tête, je vous counais. Vous pouvez point aparceouère la dentelle d'un cotillon sans que ça vous chavire les boyaux. Même le plus vieux loup de mer qu'a été porté sus les fonts et baptisé dans le vin de messe... ça me dépasse... cet attrait pour la débauche et le péché.

TOM THUMB

Le péché... rien que le mot, la Veuve, fait plaisir à entendre. Écoutez ça: péché... ça vous pique la langue comme du poivre rouge et vous mouille les yeux comme des oignons frais. C'est merveilleux un mot comme ça: pé-ché.. Vous entendez? Chééé... pééé... chééé... Si personne jamais n'avait prononcé ce mot-là, jamais personne n'aurait songé à le faire. Tout est dans les mots, la Veuve.

LA VEUVE

Taisez-vous, chenapan!

TOM THUMB

Voyons, la petite mère, vous savez bien que le sentier que vous avez baptisé le chemin de la Petite Enfer attire beaucoup plus d'amoureux la nuit que si vous l'aviez nommé le chemin de la Procession. La Petite Enfer, Christ Almighty! saint Joseph lui-même en aurait perdu sa fleur de lys.

LA VEUVE

Vous blasphémez, vaurien!

TOM THUMB

Ben oui, ben oui, je blasphème, Christ Al-

90

mighty! parce que le blasphème aussi c'est du péché.

LA VEUVE

Vous brûlerez pour ça.

TOM THUMB

Ah! non, pas ça. Un matelot, et un Irlandais par surcroît, connaît bien des petits trucs pour s'en tirer au dernier instant. On vous a donc pas enseigné, la Veuve, que le bon Dieu était infiniment bon?

LA VEUVE

Infiniment bon et infiniment aimable.

TOM THUMB

Parfait. Puis on vous a pas dit aussi qu'il était infiniment miséricordieux?

LA VEUVE

Infiniment miséricordieux, mais il réserve son infinie miséricorde pour ceuses-là qui l'aront méritée.

TOM THUMB, *en aparté*

Christ! avec une pareille bigote, même un Irlandais est damné. Listen, la Veuve. Si vous me proposez d'emmener trois ou quatre belles Mercenaire en mer, comment pouvez-vous venir après ça vous inquiéter de mon salut?

LA VEUVE

C'ti-là qu'est destiné à être sauvé, le sera, quoi qu'il fît. Les autres, y a rien à faire. C'est la prédestination. Par rapport que Dieu est infiniment juste et infiniment bon.

TOM THUMB

Infiniment Jésuite, ce bon Dieu-là... Et si le capitaine refusait de charger les Mercenaire avec les cordes de bois?

LA VEUVE

Faudrait rien qu'en avartir les Mercenaire que la goèlette veut point les emmener. Entêtées coume je les counais... vous vous réveillerez en haute mer avec chacun une Cordes-de-Bois dans votre hamac. C'est point dans leur accoutumance, voyez-vous, de demander la parmission à parsoune pour s'emparer du bien d'autrui. Même pour s'emparer d'un équipage de bâtiment... *(On entend siffler au loin.)* J'entends subler votre capitaine. À votre place, j'y parlerais. M'est avis qu'à matin, il serait point contre ça d'engager une couple de cooks ou de marmitonnes pour brasser la soupe des matelots. *(Elle part, puis s'arrête.)* Et pis demandez conseil à votre saint Patrick. Il vous dira que tout ce qu'on fait pour écraser le mal est béni du bon Dieu.

Elle s'éloigne.

TOM THUMB

Tu l'entends, Pat? Christ Almighty!

92

Scène II

aux Cordes-de-Bois, le jour

Les quatre Mercenaire, très gaies, entourent Tom Thumb, le conteur des vieux pays.

ZÉLICA

Encore l'histouère du serpent de... coument c'est qu'elle se noume déjà, votre riviére?

TOM THUMB

Shannon, le serpent de la rivière Shannon.

ZÉLICA

Ça c'est le plus beau conte que j'ai jamais entendu. Même Pierre à Tom pourrait point en conter un pareil.

LA PIROUNE

Non, mais ça fait trois fois qu'on l'entend, c'ti'-là. Contez-nous-en un tout neu' asteur. Une histouère avec des chevaliers qui grimpont dans les couettes des princesses tressées en échelle.

LA BESSOUNE

Ou ben des géants en bottes de sept lieues...

LA PIROUNE

Non, non, pas des géants; des princes, des princes charmants...

ZÉLICA

Moi je veux mon serpent auparavant, mon serpent de la riviére... coument vous l'appelez déjà?

Patience apporte des bolées de vin chaud qu'elle distribue en commençant par Tom Thumb.

TOM THUMB

Hum!... ça, par exemple! c'est la dame Patience qui s'est mérité le droit de choisir. Qu'est-ce que je vous conte, Patience?

Les trois autres en même temps.

LA BESSOUNE

Les géants!

LA PIROUNE

Les princes!

ZÉLICA

Le serpent de la riviére... Jésomme! je l'arai-t-i' jamais?

PATIENCE

Racontez-nous le vieux pays.

TOM THUMB

Le vieux pays ? lequel vieux pays ?

PATIENCE

C'ti-là d'où c'est que je sons ersoudus, nous autres.

TOM THUMB

Ça j'en sais rien, de certitude. Mais je me figure que l'ancêtre débarqué un dimanche matin et qui s'est sauvé de son navire accosté au havre pour s'établir aux Cordes-de-Bois, au siècle dernier, devait venir de France comme la plupart des bateaux qui mouillaient dans la région à cette époque. Et c'est ça l'ancêtre qui vous a laissé les glouglous et les sons rauques qui vous chatouillent dans la gorge, les Mercenaire, et qui vous rattachent encore à la Bretagne après trois ou quatre générations.

ZÉLICA

La Bretagne... oui, j'ai entendu l'aïeul raconter, quand j'étais jeune...

LA PIROUNE

Laisse parler le matelot, la Zélica, c'est lui qu'a vu le monde.

95

ZÉLICA

Ah! Et moi, quand c'est que je m'ai embarquée pour le large à l'âge de dix-huit ans, sus un brick venu de Norvége...

PATIENCE

Un brick mal chargé et qui cantait si fort à bâbord qu'il a point réussi à passer le cap, apparence, et a déchargé toute sa cargaison à la barre de Cocagne... avec la Zélica dans la cargaison.

ZÉLICA

La garce! Dénigrer sa propre sœur, asteur, et sa sœur aînée par-dessus le marché!

LA PIROUNE

C'est ben, c'est ben, la tante Zélica, t'as vu le monde. Ben lui, le matelot, il a vu l'Irlande en plusse.

PATIENCE

Et pis il l'a vu pus longtemps.

LA BESSOUNE

Ben tant qu'à ça, moi j'arai vu le lac à Mélasse et la Petite Enfer avant lui.

LA PIROUNE

Je finirons-t-i' ben par entendre un conte aujord'hui?

TOM THUMB

Je peux vous conter une légende ancienne qui s'est passée aussi bien dans mon Irlande à moi que dans la Bretagne de vos aïeux.

ZÉLICA

Je finirons par nous réveiller toutes Irlandaises demain matin, vous allez ouère.

LA PIROUNE

Elle va pas se taire !

TOM THUMB

C'était du temps du roi Arthur de Cornouailles qui avait douze chevaliers...

LA PIROUNE

Ah ! ça va être beau !

TOM THUMB

... douze chevaliers sans peur et sans reproche qui lui étaient parfaitement fidèles. Les douze chevaliers sans peur et sans reproche et parfaitement fidèles étaient toujours en chicane entre eux pour savoir qui occuperait la place d'honneur à table. Le pauvre roi Arthur, homme sage, riche et puissant, savait plus où donner de la tête pour avoir la paix avec ses chevaliers sans reproche ; et c'est comme ça qu'il a eu l'idée de leur fabriquer une table ronde, sans queue ni tête, où tout le monde serait assis à la première place.

LA PIROUNE

Ah! que ça doit être beau de vivre dans un pays de même! Ce que j'arais aimé ça, moi, de voyager par là.

TOM THUMB

Vous aimeriez ça de voir les vieux pays?...

LA BESSOUNE

Moi itou, moi itou...

TOM THUMB

Tout doux, tout doux... laissez-moi le temps de reprendre mes sens...

LA PIROUNE

Revoir la France, l'Irlande, après deux siècles...

TOM THUMB

S'embarquer tous ensemble sur une belle goèlette blanche à trois mâts, filant loin au large, entre les îles et les baleines, et voyant surgir tout à coup du fond des eaux un dragon de mer...

PATIENCE

Il s'en vient, le dragon de mer; je l'aparçois au mitan de la butte qui métive la brume de ses deux bras.

TOM THUMB

Diable !

LA PIROUNE

Pas c'telle-là encore !

ZÉLICA

La Veuve Enragée ! Ah ! ben si elle croit qu'elle va encore un coup varger sus les Cordes-de-Bois, et renvarser nos cabanes et nos chaudrons de fricot !...

LA BESSOUNE

Cachons-nous pis elle nous trouvera pas.

LA PIROUNE

C'est notre butte icitte.

TOM THUMB

Ça fait rien, restez pas là, la Bessoune a raison.

LA PIROUNE

Tiens ! c'est rendu que c'est la Bessoune qu'a raison devant sa mére.

TOM THUMB

Je me chargerai de la vieille. J'ai l'habitude de manier les femmes.

LA PIROUNE, *avec un grain de jalousie*

Ah? tant que ça?

ZÉLICA

Ça c'est point une femme, c'est la Veuve.

TOM THUMB

Laissez-moi me débrouiller, j'ai eu affaire déjà à des vampires.

LA PIROUNE, *piquée*

Dans c'te cas-là, venez-vous-en, vous autres; faudrait point déranger le matelot dans ses entreprises.

ZÉLICA

Baillez-y de ma part un bon coup sus le nez; ça l'empêchera peut-être après ce temps-citte de le fourrer dans les affaires des autres.

Les quatre Mercenaire sortent. Arrive la Veuve.

LA VEUVE, *qui renifle*

Quoi c'est que ça? Y a pus parsoune aux Cordes-de-Bois?

TOM THUMB

Et moi, qu'est-ce que je suis?

LA VEUVE

Ben vous êtes point rendu Cordes-de-Bois encore, jamais je croirai.

TOM THUMB

Vous non plus, la Veuve, et pourtant vous êtes là.

LA VEUVE

Moi, j'ai mon stock sus la butte. Je viens compter ça qui me reste.

TOM THUMB

À quoi ça vous sert de compter si vous allez point vendre?

LA VEUVE

Coume ça, le Tom Thumb, il refuse de parler à son capitaine?

TOM THUMB

Il refuse tout marché avec le diable.

LA VEUVE

Heuh! vous avez belle allure, matelot, de parler de même, vous qui menez la vie qu'on counaît dans chaque havre où c'est que votre navire accoste. Le péché, vous courez après; nous autres, je nous efforçons de le chasser.

TOM THUMB

Vous êtes le diable sous vos airs de Sainte Bénite.

LA VEUVE

Vous êtes sus la terre de mon bois icitte, étranger. Et je me laisserai point insulter, ni insulter ma religion par un mécréant comme vous. Parsoune vous force à partir ni à emmener parsoune. Ben parsoune me forcera non plus à vendre mon bois, au prix coûtant.

TOM THUMB

Gardez-le votre bois. Quand je voudrai une femme, c'est pas de vous que je l'achèterai.

LA VEUVE

J'ai point de femmes à vendre, ça s'adoune. Le pays a rien qu'une couple de forlaques à se débarrasser.

TOM THUMB

Forlaques! qu'elle dit. Vous apprendrez, la Veuve, que ces forlaques-là ont le cœur plus pur que bien des dévotes que je connais, et la tête plus droite, et des racines plus creuses au pays... sans compter tout le reste.

Il achève la phrase dans un geste.

102

LA VEUVE, *soudain illuminée*

Ça c'est une affaire de goût. Y en a qui les trouveriont putôt feluettes et maigrelettes.

TOM THUMB

Maigrelettes et fluettes, les Cordes-de-Bois? Ça se voit que vous avez renoncé depuis longtemps, la vieille.

LA VEUVE

Patience arait peut-être eu des rondeurs, 'tant jeune, et Zélica un petit brin de criniére, autrefois; mais la Piroune et sa fille sont mal parties. Des joues trop hautes, des cannes trop fines...

TOM THUMB

Des cannes fines qui feraient le bonheur de Lucienne Boyer et de la Joséphine Baker ellemême.

Il chante.

J'ai deux amours
Mon pays et Paris.

LA VEUVE, *qui renchérit*

Et pis tous les Mercenaire avont la voix rauque en plusse.

TOM THUMB

Une voix qui te met l'âme dans les tripes et te chatouille la plante des pieds.

LA VEUVE

La Bessoune, faut dire que ç'a pas eu de chance : coume ç'a pas eu de pére, ç'a hérité rien que des défauts de sa mére, coume si elle l'avait fait tout seule, celle-là.

TOM THUMB

Sa mère améliorée. Une sirène, un elfe, une fleur assez pleine de sève pour en faire un jour un arbre.

On entend chanter la Bessoune au loin.

LA VEUVE

Pis ç'arrête point de chanter jour et nuit, c'te marleuse-là ; coume si la vie était un pique-nique. Et faut en plus que ça fausse.

TOM THUMB, *séduit*

Le chant des oiseaux du paradis.

LA VEUVE

La brise m'a l'air de venir du bord du quai. M'est avis que la Bessoune chante pour les matelots, aujord'hui.

TOM THUMB

Tom Thumb, ton capitaine te mande sur le pont.

Il salue la Veuve et part dans une pirouette.

LA VEUVE

En v'là une qui va voyager.

Entre la Piroune en courant.

LA PIROUNE

Par où c'est qu'il est passé?

LA VEUVE

Qui ça?

LA PIROUNE, *qui se ravise*

Le vent.

LA VEUVE

Si y a quequ'un au pays des côtes qui counaît les allées et venues du vent, ça doit être
c'telle-là qui couche avec, chaque nuit.

LA PIROUNE

C'est coume ça que la Bessoune a venue au
monde, fille du vent de nordet.

LA VEUVE

Une fille qui pourrait un jour faire brailler sa
mére.

LA PIROUNE

Ça me surprendrait, sa mére est point le genre

brailleuse. Et pis sa fille a été élevée dans les bounes coutumes de son monde et de sa lignée.

LA VEUVE

C'est ça que je veux dire: si ben ressemblante à sa mére et si ben partie dans ses traces, qu'elle serait capable ben vite de la faire manger dans l'auge, sa mére.

LA PIROUNE, *en aparté*

Doux Jésus! Quand c'est que la chipie a des élouèzes dans les yeux, le tonnerre est pas loin.

LA VEUVE, *en aparté*

La forlaque coumence à mordre, baillons-y de la ligne. *(À la Piroune.)* C'est point de mes affaires, ben quoi c'est qui te retarze de la marier, ta fille unique?

LA PIROUNE

Si c'est point de tes affaires, pourquoi c'est que tu t'en inquiètes, la Veuve?

LA VEUVE

C'est rien parce que je me disais qu'une fille de son âge est encore fortement jeune pour partir au loin sans sa mére et les tantes qui l'avont élevée.

LA PIROUNE

Et qui c'est à ton dire qu'arait l'intention de

106

l'emmener au loin, ma fille, sans mon consentement?

LA VEUVE

Je le sais ben pas. Mais c'est mes neveux Jean-Charles et pis Jean-Paul qui contont qu'ils avont vu la Bessoune jeter une valise pleine de butin par le châssis, hier au souère, et pis s'en aller la cacher derriére une boueye au quai.

LA PIROUNE

Les menteux! Y a jamais une valise qu'a pu sortir de nos châssis, par rapport que j'avons jamais eu de valise aux Cordes-de-Bois.

LA VEUVE

Ça doit être un baluchon, ou ben un panier à hardes qu'ils avont voulu dire, Jean-Paul pis Jean-Charles.

LA PIROUNE

Jean-Paul pis Jean-Charles sont coume tous les autres beaux jars sortis de la grande école: ça salue point le monde sus le chemin du Roi, ben ça court après la nuit dans les canals et sous les ponts.

LA VEUVE

Oh!...

LA PIROUNE

Je les ai vus me suivre moi-même, ben des

fois, en essayant de subler avec leu petite voix de chèvre. *(Elle imite leur sifflement fêlé.)* Une belle engeance emplumée que vous préparez au pays. La Bessoune crachera dessus quand c'est qu'ils oseront l'approcher.

LA VEUVE

C'est point mes neveux et filleux qui courront jamais après ta descendance de Cordes-de-Bois, t'en fais pas. Mon monde a d'autre chouse de plus honorable à faire que ça, ça s'adoune. Ta fille finira dans les bras des matelots coume sa mére, et sa grand-mére, et sa grand-grand-mére.

LA PIROUNE

Trois générations de femmes qu'avont fait mourir d'envie la Veuve Enragée.

LA VEUVE

L'envie des matelots, moi? La mer arait besoin de garrocher sus les côtes de quoi de plus appétissant que les girouetteux, conteux, beaux parleux et défricheteux de vieux pays que les goèlettes nous avont baillés cet été.

LA PIROUNE

Girouetteux et beaux parleux, hein? et défricheteux de vieux pays? Heh! Des vieux pays qu'avont encore à l'heure qu'il est des princes, et un roi dénommé Arthur, et douze chevaliers fidèles et sans reproche, tout assis en rond autour d'une table, auprès d'une riviére qui s'appelle

Shannon... tout ça au pays des aïeux d'où c'est que je sons ersoudus, nous autres.

LA VEUVE

Quoi c'est qu'elle conte là?

LA PIROUNE

Un pays capable de faire des houmes de même... des houmes avec du miel entre la langue et l'alouette, et des ressorts sous la plante des pieds, et des yeux... ah! des yeux qu'avont point été taillés dans de l'étoffe effilochée, c'est moi qui vous le dis.

LA VEUVE

Ben cet houme-là les a point dans sa poche, ses yeux en étoffe effilochée.

LA PIROUNE, *coquette*

Oh! non...

LA VEUVE

Point dans sa poche pantoute... Il les a ben pus souvent sus le cou et les jambes d'une jeune Cordes-de-Bois qu'au pays j'appelons la Bessoune par rapport que sa mére a oublié de lui douner un nom de chrétien.

La Piroune pâlit. La Veuve charge, en regardant au loin.

109

LA VEUVE

Je sais ben pas qui c'est qui chante coume ça du bord du quai.

LA PIROUNE

Je suis aussi ben d'aller aïder à Zélica à vendre son lait de beurre et son sirop Lambert. L'air salin, ça enrhume terriblement les matelots.

Elle sort. La Veuve ricane.

LA VEUVE

Et en v'là deusse... Asteur, il me reste la Zélica.

Elle sort.

Scène III

au quai, le jour

Scène d'amour entre Tom Thumb et la Bessoune sur le quai.

TOM THUMB

Chante, ma petite alouette, chante.

La Bessoune chante.

LA BESSOUNE

Ah! venez voir, mesdames,
Ce que j'ai trouvé,
etc.

Ma mére, jésomme de Dieu!

TOM THUMB

Christ Almighty!

Les amoureux se sauvent, la Bessoune entraînant Tom Thumb qui regarde derrière lui. Passe la Piroune à la course. Le plateau

111

tournant ramène la scène aux Cordes-de-Bois, puis de nouveau au quai, de manière à créer l'illusion de la poursuite des amoureux par la Piroune. Enfin Tom Thumb s'enfuit et la Piroune rattrape sa fille.

LA BESSOUNE

Ah! c'est toi, ma mére. Quoi c'est que tu charchais?

LA PIROUNE

Je charchais des parles dans les palourdes pis des diamants dans l'harbe à outarde. Ben j'ai rien que dénigé deux chancres qu'avanciont de côté coume si ils aviont de quoi à cacher... Retourne-toi la tête, petite effarée.

La Bessoune retourne la tête mais continue d'éviter les yeux de sa mère.

LA PIROUNE

Regarde-moi, que je te dis.

La Bessoune la regarde, mais continue de crâner.

LA PIROUNE

Le vieux a tout le temps eu à dire, lui, que le jour où une Mercenaire pourrait pus regarder sa mère en face, il fallait la purger trois jours et trois nuits à l'huile de castor. Il a dit qu'après ça, la marleuse se garrocherait à genoux et avouerait son méfait. Qu'il a dit.

LA BESSOUNE

Méfait? quel méfait?

LA PIROUNE

Je le sais pas. Mais c'est justement pour le saouère que je m'en vas te bailler une boune dose de purgation tout de suite. La varité finira ben par sortir.

Elle agrippe la main de sa fille qui résiste.

LA BESSOUNE

Hey! ma mére! largue-moi!

LA PIROUNE

Te larguer entre les bras du premier venu, peut-être ben sorti du fond de cale d'une goèlette, pour ce que j'en sais? Ah! non! j'ons plusse soin de nos enfants que ça aux Cordes-de-Bois.

LA BESSOUNE

C'est point le premier venu, pis il sort point de fond de cale, ben du pont.

LA PIROUNE, *qui joue l'innocente*

Ah? du pont? Ça serait point le capitaine toujou' ben?

LA BESSOUNE

Mieux que ça.

LA PIROUNE

Sus un bâtiment, y a rien de mieux qu'un capitaine.

LA BESSOUNE

Sus un bâtiment, peut-être ben; mais y a mieux qu'un capitaine sus la terre farme.

LA PIROUNE

Y a quoi?

LA BESSOUNE

Le second: c'ti-là qu'est moitié capitaine, moitié matelot; c'ti-là qui commande à ses houmes au large, ben rendu à terre, danse avec les filles. Un navigueux, un vrai, qu'a voyagé sus toutes les mers du monde, pis qu'a mis le pied dans toutes les îles, pis qu'a vu assez d'affaires, ma mére, que même s'il arrêtait de naviguer droit asteur, il arait de quoi à raconter pour le restant de ses jours. Ah!... pis il raconte, il raconte... et il chante, et tu finis que tu sais pus quand c'est qu'il conte ou qu'il chante. Pis avec ça, ma mére, qu'il a du poil sus l'estoumac... et des yeux de la couleur de... de la mer de mênuit. Ma mére, c'est ben simple... *(Elle aperçoit le visage torturé de sa mère.)*... Ben... ben quoi c'est qu'est le trouble, la Mercenaire?

LA PIROUNE

Je m'en vas t'en faire, moi, une Mercenaire! Je vas te montrer quoi c'est qu'elle a encore

114

sous la peau des jointures, et derriére les ous du front, et dans le creux des boyaux, la Mercenaire! Quand c'est rendu que ma propre fille vient se moquer de sa mére, et y cracher à la face, et... quoi c'est que ça fera après, hein? J'ai-t-i' été née et venue au monde pour endurer ça, moi, la Piroune? Parle!

LA BESSOUNE, *qui s'y perd*

Soit qu'elle a des vers, soit qu'elle a mangé la chatte pour dîner.

LA PIROUNE

Où c'est que t'étais? Pis avec qui?

LA BESSOUNE, *qui se referme*

Avec les fi-follets à la Petite Enfer.

LA PIROUNE

Ça sera huit jours et huit nuits d'huile de castor, petite vlimeuse.

La Bessoune se sauve, poursuivie par sa mère. Patience traverse la scène en chantant. La Piroune l'aperçoit et revient.

LA PIROUNE, *agressive*

Tu chantes, toi?

PATIENCE

Si fait, moi je chante, hi, hi! et je ris.

LA PIROUNE

Y en a qui sont chanceux.

PATIENCE

L'ancêtre disait, lui...

LA PIROUNE

L'ancêtre! l'ancêtre! j'allons-t-i' un jour parler de rejetons pour un change?

PATIENCE

Les rejetons avont point parlé encore, par rapport qu'ils avont point encore eu grand-chouse à dire. En varité, y en a qu'avont rien eu à dire dans leu propre vie, mêmement.

LA PIROUNE

Oh? si tu crois! Moi je trouve qu'ils se débrouillont fortement ben pour la faire sans nous autres, leu vie, et la faire coume si j'étions point là.

PATIENCE

Tant mieux. La vie de nos enfants leur appartient; j'avons point affaire à y toucher.

LA PIROUNE

Point affaire à y toucher? Coume ça tu veux dire qu'il faut laisser notre descendance faire n'importe quelle cochonnerie et n'importe quel scandale?

PATIENCE

Scandale? V'là un mot que j'avais encore jamais entendu sortir de la goule d'une Cordes-de-Bois. Scandale, asteur! Faut qu'elle l'ayit grattée où c'est que ça démange, sa fille, pour que la Piroune parlit de scandale... Crache-le; la petite: quoi c'est qu'elle t'a fait?

LA PIROUNE

Elle s'est amourachée d'un matelot.

PATIENCE

Non, un matelot, t'as qu'à ouère! Ça, j'avons jamais vu ça aux Cordes-de-Bois, une fille s'amouracher d'un matelot!

LA PIROUNE

Moque-toi point de moi, ma tante.

PATIENCE

Voyons, la Piroune, un matelot, un matelot coume t'en as tant counu, un matelot coume tant d'autres... j'espère qu'il est beau au moins.

LA PIROUNE

Même pas. Laid, pâle, les yeux en dessous et la goule croche.

PATIENCE

Mon Dieu, c'est doumage. Mais qui c'est qu'est mal amanché de même?

LA PIROUNE

Le beau parleux et girouetteux que c'te goèlette nous a garroché dans les pattes.

PATIENCE

Pas Tom Thumb ?

LA PIROUNE

Oui, Tom Thumb.

PATIENCE

Tom Thumb asteur ! Et c'est lui qu'a la goule croche ? j'avais pas remarqué ça. Et qu'est un... coument tu dis ça... un girouetteux pis beau parleux ? Et il arait les yeux en dessous, Tom Thumb ? Ouais ! ben ma nièce, si y a de quoi en dessous autour d'icitte, à l'heure qu'il est, j'ai coume une idée que c'est point les yeux de ton matelot, prends-en mon dire.

LA PIROUNE

Et à ton dire, c'est parmis à un matelot étranger de venir sus nos terres courir après nos enfants qu'avont encore des bortelles pour tiendre leux jupes et des jarretiéres pour accrocher leux bas ?

PATIENCE

Hum !... Ben sais-tu, ma filleule, qu'à l'âge des jarretiéres et des bortelles, tu les comptais déjà plus sus une seule main, tes matelots. Et je crois même, si ma mémoire est boune, que t'avais déjà coumencé à rogner sus le capitaine avant même d'aouère lâché tes bottines, non?

LA PIROUNE

Ça c'est point pareil. De mon temps...

PATIENCE

Tu vieillezis, la Piroune. Quand c'est qu'une femme de ton âge coumence à parler de son temps... Redorse-toi le jugement, ma nièce; tu sais ben que la Bessoune est en âge et en rondeurs pour pouère faire sa vie asteur. Laisse-les coumencer par les petits, en bas de l'échelle...

LA PIROUNE

En bas de l'échelle! Ben il est déjà rendu second, l'Irlandais. Et ça c'est déjà quasiment capitaine... Moitié capitaine, moitié matelot. C'ti-là qui commande à ses hommes au large, pis à terre, danse avec...

PATIENCE

Ça y passera; faut que tu y laisses se faire la main; après Tom Thumb, y en ara d'autres.

LA PIROUNE

Y en ara pas d'autres après Tom Thumb, jamais!

Silence très lourd.

PATIENCE

T'es prise, la Piroune, ma petite fille, ben prise. Tu l'aimes, ton Irlandais, coume si c'était point rien qu'un matelot de passage, ben...

LA PIROUNE

C'est pas rien qu'un matelot de passage.

PATIENCE

Fais pas la folle, la Piroune, son botte bâsit demain au petit jour.

LA PIROUNE, *affolée*

Je l'empêcherai! je l'amarrerai! il partira pas!

PATIENCE

Ben la Bessoune, quoi c'est que t'en fais?

LA PIROUNE, *comme dans un rêve*

La Bessoune?

PATIENCE

Oui, la Bessoune, la Bessoune ta fille, qu'est amourachée de l'Irlande, yelle itou.

LA PIROUNE, *soudain dure*

La Bessoune s'en trouvera d'autres. Elle a toute sa vie devant yelle.

PATIENCE

C'est ben pour ça qu'il faudrait ben prendre garde de point y pourrir les racines à c'te vie-là.

LA PIROUNE

Qu'elle apprenne à se battre pour vivre, coume j'ai fait, moi, coume j'avons toutes fait, les Mercenaire, une génération après l'autre. Aujourd'hui c'est mon tour, mon tour de vivre. Et y ara parsoune, tu m'entends, parsoune pour arrêter ça.

PATIENCE

Et les Cordes-de-Bois?

LA PIROUNE

Ben quoi, les Cordes-de-Bois?

PATIENCE

Tu pourrais les faire débouler, l'une après l'autre.

LA PIROUNE

Eh ben qu'ils débouliont! Qu'ils dégringoliont billot sus billot en bas de la butte jusqu'au pont! Jamais je croirai qu'une vie, ma vie, vaut point une corde de bois! Les Cordes-de-Bois, le pays des côtes, le monde pourra débouler, moi j'ai le cœur et les reins qui flotteront ben au-dessus!

Elle part.

PATIENCE

Tut-tut-tut !... C'est la Veuve Enragée qui va s'en frotter les mains.

Elle s'éloigne, courbée sur sa canne.

Scène IV

aux Cordes-de-Bois, le jour

Zélica et la Veuve s'en viennent en reculant de chaque bout de la scène. Elles se retournent pour se retrouver face à face.

ZÉLICA

Oh! Jésus-Christ du bon Djeu! j'ai eu peur. Des apparitions de même en plein jour, moi, ça me chavire les pigrouins.

LA VEUVE, *qui se remet*

Y a-t-i' queque chouse que je pourrais faire pour vous?

ZÉLICA

Ben... ben... ben c'est rendu, ma grand foi, qu'elle est en train de me souhaiter la bienvenue dans ma propre maison et de me dire sus mon marchepied: faites coume chez vous. Je perdrais-t-i' les esprits ou ben je sons-t-i' point sus la butte des Cordes-de-Bois icitte?

123

LA VEUVE

La butte appartient à tout le monde, ben les cordes de bois sont à moi.

ZÉLICA

Bon, v'là que ça recommence. J'allons l'entendre jusqu'à la fin des temps, c'te refrain-là.

LA VEUVE

J'étais venue vous avartir, les Mercenaire...

ZÉLICA

Pour sûr qu'elle est encore venue nous avartir de queque chouse.

LA VEUVE

...vous avartir que la goèlette pourrait se décider à démarrer demain.

ZÉLICA

Et quoi c'est que ç'a affaire avec les Mercenaire, ça? Ils avont-i' l'intention de nous passer la barre?

LA VEUVE

J'ai entendu dire que l'équipage de c'te bâtiment-là était point aisé et encore plusse dévergondé que les autres, si c'était possible; et qu'y en a à bord qu'ariont des intentions pas ben catholiques, que j'ai entendu dire.

ZÉLICA

Ça vient d'Irlande, c'te bâtiment-là. Et un Irlandais, que j'ai entendu dire, c'est plus catholique que le pape. V'là ce que j'ai entendu dire.

LA VEUVE

Leur intention, c'te fois-icitte, va point par quatre chemins : coume ils sont forcés de partir pus tôt qu'ils s'attendiont, ils allont se bailler une fête, une saoulerie, l'une de ces chavaris d'enfer coume il s'en fait rien qu'au sabbat des démons, apparence. Et ils avont l'intention d'inviter sus le pont les genses du pays.

ZÉLICA

C'est vrai ?

LA VEUVE

Je suis venue vous avartir, Zélica, l'aînée des Mercenaire, que si y a une seule Cordes-de-Bois qui met de souère le pied sus le pont de leu goèlette, eh ben ça sera la darniére goèlette qui mouillera au quai c'te année. Je veux que ça seye ben clair. C'est votre darniére chance.

ZÉLICA

Votre darniére chance ! c'est ben clair. Ç'a été notre darniére chance itou de venir au monde aux Cordes-de-Bois ; coume c'était la darniére chance du vieux Mercenaire de prendre racine au pays. Depuis que le monde existe que le monde vit chaque jour sa darniére chance. C'est ça qui rend la chance si tentante de saouère que c'est la darniére.

LA VEUVE

Vous direz pas que je vous ai point avartis.

ZÉLICA

Ah non, ça c'est la darniére chouse que je pourrions dire sans mentir.

LA VEUVE

À votre place, j'amarrerais surtout la Bessoune de souère.

ZÉLICA

Je l'enfarmerons dans la cabane du chien.

LA VEUVE, *en aparté*

Avant que le soleil seyit couché, toute l'engeance des Mercenaire sera dans les haubans. *(Elle part en répétant.)* Je vous arai avartis, je vous arai avartis.

ZÉLICA

Et marci! Une chavari, qu'elle a dit, avec l'Irlande!

I'se the b'y that builds the boat,
I'se the b'y that sails her...

Entre la Bessoune.

126

ZÉLICA

Tiens! quoi c'est qu'elle veut, la petite pissouse?

LA BESSOUNE

Elle reste icitte, ça fait qu'elle veut rien que rentrer au logis.

ZÉLICA

Ah oui, c'est vrai: c'telle-là c'en est l'une des nôtres. À force de se frotter le poil aux veuves du pays, je finissons par pus distinguer le bien du mal, ni recounaître notre monde des autres... J'ai pourtant coume une idée qu'elle a de quoi dans la caboche, la Bessoune, hein?...

LA BESSOUNE, *soupirant*

Ha!...

ZÉLICA

Non, point dans la caboche, je crois plutôt que c'est autour du cœur.

LA BESSOUNE

J'ai envie de vomir.

ZÉLICA

Je m'ai encore trompée, c'est l'estoumac. Où c'est que t'as été fripouner aujord'hui, gourmande?

LA BESSOUNE

Tante Zélica, quoi c'est que ça veut dire la monopause?

ZÉLICA

Quoi c'est que les discours que j'entends? T'en fais pas, la petite, t'es point rendue là. Si t'as mal au cœur...

LA BESSOUNE

Non, c'est ma mére.

ZÉLICA

Ta mére? Ta mére non plus. Ç'a même pas encore quarante ans, c'te forlaque-là. Où c'est que t'as ramassé des pareilles idées?

LA BESSOUNE

Ils contont que le jour où c'est qu'une parsoune sait pus ce qu'elle a, et se met en dève pour rien, et s'énarve, et se chavire, que c'est la monopause. Je crois que ma mére est rendue là.

ZÉLICA

Il était grand temps que je la sortions de l'école, c'telle-là. Ce qu'un enfant apprend là de nos jours! Écoute ben ta marraine, la petite. Ta mére a venue au monde échevelée, et a tout le temps eu un quartier de lune accroché dans la tête; ben avant qu'elle arrive à son changement de vie, la Piroune, elle a le temps encore de faire baisser la vouèle à ben des bâtiments des vieux pays.

LA BESSOUNE

En attendant, elle veut me régler les boyaux.

ZÉLICA

Quoi c'est que tu ramâches?

LA BESSOUNE

Elle veut me purger par rapport que... par rapport que...

ZÉLICA

Crache, crache-le.

LA BESSOUNE

Je veux m'embarquer.

ZÉLICA

Tu veux quoi?

LA BESSOUNE

Partir avec la goèlette.

ZÉLICA

Ah! bon. Par les petits le soleil coumence à sortir. Ben vite j'arons assez grand de bleu dans le ciel pour faire des culottes de matelot... Et où c'est que tu veux qu'elle t'emmenit, ta goèlette?

LA BESSOUNE

Au bout du monde! dans les mers du sû, dans les îles roses. ... avec Tom Thumb.

ZÉLICA

Ah-ha!

LA BESSOUNE

Marraine, quitte-moi faire, quitte-moi partir.

ZÉLICA

À ton âge? quitter les Cordes-de-Bois? et pour atterrir où? Et les glaces l'hiver, et les baleines, et le mal de mer?... Et pis c'est point moi ta mére.

LA BESSOUNE

Ma mére veut pas.

ZÉLICA

Quoi?... Et pourquoi a' veut pas?

LA BESSOUNE

C'est ce que je me demande. Elle s'a affolée, pis déchaînée quand j'y ai parlé de ça, coume une...

ZÉLICA

Coume une vache qui va pardre son veau?

LA BESSOUNE

Non, coume une qui pardrait le taureau, ça m'a r'semblé.

ZÉLICA

Ah-ha!... Ben là, la Piroune, tu vas une petite affaire trop loin. Il est grand temps que la Zélica s'en mêle, la Zélica, fille aînée à Ozite, fille à Barbe... Par où c'est qu'elle est passée, ta mére?

LA BESSOUNE

À travers le jardinage de la Veuve; et elle prenait même pas la peine d'enjamber les seillons.

ZÉLICA

Hé, hé! ben fait. Asteur nous autres, j'allons nous organiser entre nous deux, sans dire un mot à parsoune, hormis à l'Irlandais peut-être ben... oui, je m'en vas parler à l'Irlande.

Scène V

au quai, le jour

Tom Thumb est de dos, sur la poupe, en train d'appareiller. Zélica ne le reconnaît pas.

ZÉLICA

Salut, matelot! Vous ariez pas un dénoumé Tom Thumb à bord? J'ai à y parler.

TOM THUMB, *sans se retourner*

Hou-hou! Tom Thumb! une jolie dame pour Tom Thumb! *(Il disparaît, puis relève aussitôt la tête, de face.)* Me v'là! comme un seul homme. *(Il saute sur le quai, aux pieds de Zélica.)* Dans mes bras, belle Zélica!

ZÉLICA

Oh! vieux maquereau! largue-moi. Hi, hi, hi!

TOM THUMB

Bonne sainte Vierge, protégez-moi, défendez-moi, ne m'induisez pas en tentation, mais délivrez-moi du mal, amen !

ZÉLICA

Grand fou ! Les matelots, vous êtes ben tout' pareils : tout' des coureux et des retrousseux de cotillons. S'attaquer à une donzelle de mon âge, asteur.

TOM THUMB

L'âge ! mais voyons, jeune fille, c'est l'âge qui allume dans les yeux d'une femme ces étoiles qui font pâlir l'Aldébaran et la Bételgeuse elles-mêmes ; l'âge qui creuse dans la peau de longs frissons qui longent les veines et chatouillent le sang ; l'âge qui pompe des sons graves dans la gorge, des sons de viole et de contrebasse qui chavirent les reins d'un homme...

ZÉLICA

...et qui baillent aux ous des rhumatîmes et te logent dans l'échine un lumbago. Non, mon vieux, le plus bel âge d'une femme, c'est l'embouchure de la jeunesse, pornez-en la parole de l'une qu'a passé par là. À l'âge où c'est que tu ris sans saouère pourquoi ; où c'est que tu chantes sans t'égosiller et danses sans te fatiguer les jarrets ; où c'est que t'as l'estoumac capable de digérer un ours sans te faire rêver la nuit suivante à ton défunt pére ; et où c'est que t'as la peau douce comme de la mousse, et les joues rondes coume des pommes du mois d'août, que t'en fais calouetter les anges qui portont le dais au-dessus du trône céleste. Un âge de même qui peut chavirer le ciel devrait pouère boloxer terre et mer itou.

TOM THUMB

Arrière, satan! Pourquoi venir me parler de même aujourd'hui, en plein arrimage? Vous savez bien que la goèlette démarre demain.

ZÉLICA

C'est-i' vrai? Dans ce cas-là, il est grand temps que tu te décides, si t'as l'intention d'emmener quequ'un au large.

TOM THUMB

Comment? vous, Zélica? Vous cherchez vous aussi à vous débarrasser de quelqu'un?

ZÉLICA

Moi, me débarrasser? Quoi c'est que tu vas charcher là? Tu crois que j'ai point d'entrailles, moi, Zélica? Tu sais pas que je l'ai quasiment mise au monde, c'te petite morveuse-là? que durant que sa mére forçait, je pornais mon respir, et durant qu'elle respirait, je poussais, moi? Quand j'y ai enfin aparçu le derriére, à c'te enfant de Dieu, j'ai vu briller un étoile dedans et j'ai compris que celle-là renierait point sa race. V'là le présent que le ciel te garroche aujord'hui dans les bras, matelot, et t'arais le front de venir faire le délicat?

TOM THUMB

Mais, pas du tout, j'ai rien refusé, ni rien demandé. Seulement tout d'un coup, tout le monde, le même jour, me garroche tout le ciel dans les bras.

ZÉLICA

Écoute-moi, jeune homme, pis essaye point de jouer au plus rusé avec Zélica. T'as brisé le cœur d'un pauvre petit oiseau du paradis. Asteur, répare tes dégâts.

TOM THUMB

Ben...

ZÉLICA

Emmène-la.

TOM THUMB

Où ça?

ZÉLICA

Au bout du monde sus tes mers de cachalots, dans tes îles roses.

TOM THUMB

Oh! elles sont pas si roses que ça.

ZÉLICA

Ça je le sais, je les ai vues. Les seuls endroits roses au monde sont là où c'est que tu y plantes ton cœur. Ça fait qu'emmène-la.

TOM THUMB

Je pourrais-t-i' savoir au moins laquelle vous m'offrez, Zélica? Vous avez deux nièces: la mère et la fille.

ZÉLICA

La mére est grande assez pour se débrouiller dans la vie; et pour récolter à l'automne tous les matelots qu'elle a semés au printemps. Cet été, c'est la fille qu'a le cœur dans le plâtre; et t'es le seul rabouteux que je counais capable d'y ramancher son chagrin.

TOM THUMB

Ouf! good ol' Patrick!... Écoutez, Zélica. D'abord je suis bien content de voir que vous m'offrez vous-même un pareil cadeau; je sauve mon honneur et ma vertu. Mais Christ Almighty! en m'en donnant une, vous m'enlevez l'autre. Vous me plongez dans mon choix avant que j'ai eu le temps de choisir.

...Ben voilà Tom Thumb d'un seul coup devant deux mondes, deux splendeurs du monde: une enfant, à la voix d'une sirène, au corps d'une fée, et à l'âme... oh! l'âme dans les yeux qui vous donne envie d'être bon; vous levez la tête et en arrière d'elle vous apercevez sa mère, dans le plus bel âge de sa vie, avec sa crinière dans le cou, son

œil de chatte, ses proportions si bien proportion-
nées... là vous avez envie d'être un homme.

ZÉLICA

Si tu veux mon conseil, matelot...

TOM THUMB

Ah! non, pas ça encore!

ZÉLICA

Choisis les deux.

TOM THUMB

Quoi?...

ZÉLICA

Énarve-toi pas, je m'en vas t'instruire une
petite affaire sus les femmes. D'abord, si tu prends
la grande, t'as la grande, qui finira par être vieille
un jour, coume tout le monde, ben avant toi. Tandis que la petite, elle peut rien que grandir, et
devenir coume sa mére. Coume ça, si tu prends la
fille, tu feras d'une pierre deux coups. Une femme
mûre peut rien que devenir vieille, elle peut point
rajeunezir; tandis qu'une jeunette peut mûrir. Avec
yelle t'aras d'abord la fille, pis la mére. Faut
saouère tout prendre. *(Elle aperçoit la Veuve au
loin.)* ...V'là la gueuse qui rentre sus son terrain.
Je te la laisse, l'Irlandais. Tu pourras te pratiquer
sus celle-là à retrousser les vieux cotillons.

Elle s'éloigne. Entre la Veuve.

137

TOM THUMB

For the love o' God, Patrick, good ol' boy, help me!

LA VEUVE

C'est point pour saouère, ben j'ai coume une idée...

TOM THUMB

Grrrr...

Scène VI

aux Cordes-de-Bois, le jour qui descend lentement jusqu'à la fin de la scène

Patience et Zélica argumentent.

ZÉLICA

T'as tout le temps été contraireuse, Patience, coume si t'avais été mise au monde exprès pour nous faire enrager. Ça sert à rien d'essayer de t'arraisouner; tu t'arraisounes point: tu ris, tu chantes, pis tu fais des phrases.

PATIENCE

Patience et longueur de temps font plus que force ni que rage.

ZÉLICA

Encore une. Ben il viendra un jour où c'est que tu t'aparcevras que les proverbes, ç'apporte point à dîner.

139

PATIENCE

Dans ce cas-là, pourquoi c'est que t'en fais?

ZÉLICA

Moi, je fais des proverbes? J'aimerais mieux bailler ma langue au chat.

PATIENCE

Hi, hi, hi! *(Elle boit.)*

ZÉLICA

Et pis si t'es point capable de t'arrêter de bouère, sers au moins les autres en premier, coume ta mére t'a appris.

Elle lui arrache des mains la cruche et boit à son tour.

PATIENCE *chante*

Mon père a fait bâtir maison,
Fripe la lune...

ZÉLICA

C'est point le temps de friper la lune à l'heure qu'il est et par les temps qui courent. Sais-tu point encore qu'il se passe de quoi sus notre butte, juste entre nos pattes?

PATIENCE

Entre nos pattes, il se passe pus rien depis belle lurette, ma sœur, je vieillezons.

ZÉLICA

Ah! la bêtiseuse! T'as là sous les yeux tes propres nièces et filleules en train de jouer leu bonheur de vie et peut-être ben leu destinée, et tu chantes, tu bois, pis tu bêtises? Sais-tu pas encore qu'un jour le bon Djeu pourrait en aouère assez pis finir par manquer de patience, lui itou?

PATIENCE

Le bon Djeu manquera jamais de Patience aussi longtemps que je serai autour, inquiète-toi pas. Et pis t'es rendue que t'as des discours qui ressemblont à ceux-là de la Veuve, ma sœur aînée.

ZÉLICA

Jésomme de Djeu! si fallit!

PATIENCE

La Veuve tante enragée de la moitié des baptisés de la parouesse.

ZÉLICA

La moitié qui lève le petit doigt pour bouère sa bolée de thé.

PATIENCE

Et qu'après la petite école, passe à la grande école, et après la grande école, à l'école normale.

ZÉLICA

L'école normale où c'est qu'ils apprenont à

apprendre à leu descendance à passer de la petite école à la grande école, durant les siècles et les siècles...

PATIENCE

Ainsi soit-il.

ZÉLICA

Ben nous autres itou j'en avons une descendance, ça s'adoune, une descendance qu'a point eu besoin d'école normale pour apprendre à se moucher à ses manches et cracher dans sa spitoune ; une descendance qui s'en vient de mieux en mieux à mesure qu'elle descend de plusse en plusse.

PATIENCE

Ça c'est point sûr.

ZÉLICA

Bon, ça recoumence. V'là qu'elle va se remettre à défendre sa Piroune, vous allez ouère. Pourtant, ce qu'elle a fait de mieux, ta nièce, c'est sa fille.

PATIENCE

Heuh !

ZÉLICA

Oui, heuh ! Ce que la Piroune a fait de mieux, c'est de mettre au monde une fille qui fera jamais honte à sa mére, à sa grand-mére, ni à aucun de ses aïeux.

PATIENCE

Et sa mére, elle a-t-i' déjà fait honte à ceuses-là qui l'avont engendrée et mise au monde ? ou à ceuses-là qui l'avont élevée ? La Piroune, c'est un sapré beau morceau, ben chacotée dans du bois franc. Elle a ben mérité de trouver son destin au bord du quai, et de counaître son bounheur de vie avant qu'il seyit trop tard.

ZÉLICA

Quoi c'est que tu ramâches là ? Son bounheur de vie du bord du quai ? Non, non, ma sœur Patience, c'est à la Bessoune qu'il revient, ce boun-heur-là, à la Bessoune qu'a point eu son tour en-core.

PATIENCE

En amour, on compte point les tours, ma sœur Zélica ; autrement j'en counais qui seriont encore assis sus leu devant de porte. Chacun se défend coume il peut dans la vie. Et la Piroune, à l'heure qu'il est, a plusse de moyens de défense que sa petite morveuse de fille.

ZÉLICA

Ah ! vous l'entendez, la vipère ? Sa morveuse de fille, qu'elle dit ! Tu vas timber sus tes fesses, ma sœur Patience, le jour que tu ouèras la mor-veuse se moucher dans un mouchoué de soie, loin dans les vieux pays, assis autour de la table ronde de la riviére... la riviére qu'ils avont par là.

PATIENCE

Shannon, ma sœur Zélica. Ben tu vas timber toi-même de plus haut que tes fesses, le jour qui sera bétôt venu où c'est que la Piroune s'en viendra sus une goèlette blanche qu'ri' sa propre fille pour l'emmener dans les vieux pays rencontrer les aïeux de son beau-pére.

ZÉLICA

Mon Djeu séminte! Mais c'te jour-là, je resterons rien que toutes les deuses pour forbir la butte des Cordes-de-Bois. Faut empêcher ça, faut point les quitter faire.

PATIENCE

Si le vieux Mercenaire avait su qu'il était en train de fonder un pays qui durerait point cent ans!

ZÉLICA

Toute la misére qu'il s'est baillée, lui pis toute sa lignée...

PATIENCE

J'ai tout le temps dit itou que les goèlettes finiront par nous amener du trouble à la longue.

ZÉLICA

Tiens! t'es rendue, ma sœur, que tu parles coume la Veuve, ha, ha, ha!

PATIENCE

Vieille folle!

ZÉLICA

Ha, ha, ha!

PATIENCE

La Piroune viendra çartainement pas te qu'ri' toi pour ses vieux pays. Tu pourrisseras icitte.

ZÉLICA

Je pourrisserai pas. Je m'en vas m'embarquer demain, avec la Bessoune.

PATIENCE

Tu m'en reparleras.

ZÉLICA

C'est la Bessoune qui partira.

PATIENCE

La Piroune.

ZÉLICA

La Bessoune.

PATIENCE

Piroune.

ZÉLICA

Veux-tu gager?

PATIENCE, *apercevant Tom Thumb*
au loin

V'là c'ti'-là qu'a le sort du monde entre les mains. Je gage qu'il vient pour la Piroune.

ZÉLICA

Et moi je gage que c'est pour sa fille.

PATIENCE

Cache-toi pis je verrons ben.

Les deux vieilles se cachent à chaque bout de la scène. Entre Tom Thumb.

TOM THUMB

Ha! The ol' bitch! bitch! bitch! je t'avais-t-i' pas demandé du secours, Pat? Où c'est que tu te tiens quand j'ai besoin de toi, hein?... Ha! shut up! Après ce temps-ci je me débrouillerai tout seul. Tout seul, do you hear me? j'en ai assez de me faire ballotter par le diable, pis le bon Dieu, pis la Veuve. No more, Pat, no more! From now on, je prends mon sort en main. I'll be my own boss. Après tout, ma vie m'appartient, non? J'ai tout laissé, moi, ma famille, mon pays, même mon radeau que j'ai donné à mon frère Dick. J'ai plus rien que cette vareuse à moi, mon sifflet, ma casquette, ma pipe et ma blague à tabac. Mais au moins ma femme, je vais la choisir tout seul, you hear me? et ma terre aussi, le jour où je déciderai de m'établir.

Les deux femmes lèvent la tête.

ZÉLICA

Quoi c'est que tu gages?

PATIENCE

Le coffre.

Les têtes disparaissent.

TOM THUMB

Listen, saint Patrick. Between you and me, dis-moi laquelle tu choisirais, toi. Hein? La petite sirène? qui chante comme un ange? Ha! the darling bud of May!

ZÉLICA, *levant la tête*

Je t'avais dit!

Elle se cache.

TOM THUMB

Quoi? Tu dis pas! Tu préfères la mère, la merveilleuse, splendide catastrophe de tigresse, qui peut garder un homme debout jusqu'à ses cent ans?

PATIENCE, *levant la tête*

Hé, hé, hé!...

Elle se cache.

TOM THUMB

Listen, Pat, un homme doit faire son choix. So make up my mind. Y en a qui me proposent de tout prendre, la fille qui sera un jour la mère. Hein? qu'est-ce t'en dis, Pat? (*Zélica lève la tête et fait un pied de nez à sa sœur.*) Pat! Pat! For the love o' God, réponds!... O.K. je parlerai à Brendan, grand navigateur, découvreur, avaleur d'océans... (*Arrive la Piroune dans toute sa splendeur de femme, la tête haute et les mains dans le dos.*) Oh! Brendan, charge pas, tout de même, baisse un peu la voile, Christ Almighthy! (*La Piroune avance comme si elle ne le voyait pas. Elle ramasse un bâton et se met à chanter la chanson à matelots du premier acte.*) Christ Almigthy! Brendan! Patrick! For the love o' God...

LA PIROUNE

Tom Thumb!... Tu faisais tes priéres, excuse-moi. J'étais sortie rien que bailler queques miettes de pain aux becs-scie pis aux goèlands. Je m'en vas.

148

TOM THUMB

Attends, attends, la Piroune... Viens au moins dire adieu à un pauvre matelot avant que sa goélette l'emporte.

LA PIROUNE

Déjà?

TOM THUMB

Demain, au petit jour.

LA PIROUNE

Ah? Ça sera bétôt venu, le petit jour.

TOM THUMB

Oui, vite venu.

LA PIROUNE

Et tu vas loin c'te fois-citte?

TOM THUMB

Comme d'habitude, au bout du monde. Cette fois peut-être un peu plus loin.

LA PIROUNE

C'est la coutume aux Cordes-de-Bois de bailler une bolée de vin chaud à ceux-là qui partent en mer. Ben pour l'un qui s'en va pus loin que le bout du monde... tiens, je te doune toute la cruche que j'allais porter au chien.

Elle lui verse à boire.

ZÉLICA

Oh! mon vin!

LA PIROUNE

Les morts sont pas loin, de souère. T'as entendu de quoi?

Les deux vieilles se sauvent.

TOM THUMB

Ils rôdent autour de la butte. Que les vivants se tiennent bien serrés les uns contre les autres.

Il l'enlace.

LA PIROUNE

C'était peut-être l'aïeul qui venait défendre sa descendance contre les matelots trop hardis.

Elle se dégage.

TOM THUMB

Il est bon le vin de la Zélica. C'est vrai que tu t'en allais le porter au chien? Quelle sorte de race que vous êtes, les Cordes-de-Bois, pour donner comme ça vos marguerites aux cochons?

LA PIROUNE

Si les Cordes-de-Bois aviont des cochons, ils

les ariont déjà mangés. Et pis c'est une race qu'a l'habitude de bailler à tout le monde, sans regardance, et sans rien sauver pour demain.

TOM THUMB

C'est donc si généreux, un Mercenaire?

LA PIROUNE

Un Mercenaire, ça compte point, ça carcule point, ç'a point de bas de laine. Ça vit au jour le jour, même plusieurs jours à la fois.

TOM THUMB

Comme les matelots.

LA PIROUNE

L'aïeul disait, lui, qu'hier c'était hier; et demain serait demain; qu'y avait rien qu'aujord'hui qui comptit.

TOM THUMB

J'aurais voulu le connaître, cet aïeul-là.

LA PIROUNE

Et la Patience prétend que même le jour d'aujord'hui est si ben divisé en petits morceaux que le morceau que je tenons entre nos mains prend point grand-place dans une vie. C'est pour ça, qu'elle dit, que pour vivre sa vie jusqu'au boute, faudrait qu'une parsoune en râclit chaque minute comme

151

son fond de bol à soupe. C'est ça qu'elle prétend, la Patience.

TOM THUMB

Et moi je prétends qu'elle a raison.

LA PIROUNE

Ben moi, j'ai pour mon dire que si petite et si courte que seyit une vie, c'est la seule chouse que j'ons et que je devons point en gaspiller une miette. Ça fait que moi je me dépêche à mordre dedans sans prendre le temps de me laver les mains.

TOM THUMB

Christ Almighty! Patrick, où c'est que tu te tiens?

LA PIROUNE

Les mains! Si une parsoune s'avait jamais lavé les mains, elle arait toute sa vie de creusée là-dedans. (*Elle lui examine la paume.*) ...Son premier noucle de matelot.

TOM THUMB, *qui lui caresse le cou*

...sa première nuque de femme...

LA PIROUNE

...sa première amarre de vouèle qui lui a déchiré la peau...

152

TOM THUMB

...ses premières joues rondes, son premier mounichon.

LA PIROUNE

...son premiére morue géante qui lui gigote entre les bras...

TOM THUMB

...sa première nuit à caresser une poitrine, un ventre...

LA PIROUNE, *qui se dégage brusquement*

...son premier chagrin avec ses premiéres larmes salées qui lui coulent du nez.

TOM THUMB

Et son premier réveil le lendemain matin, en jurant qu'y aura plus jamais une femme qui mettra le pied dans sa vie.

LA PIROUNE

Et pourtant, le souère suivant, y en ara déjà une demi-douzaine qui feront la queue sus le beaupré.

TOM THUMB

Jamais une demi-douzaine, jamais plus qu'une à la fois.

LA PIROUNE

Ah! oui? Même pas deusse?

TOM THUMB

Hum... Pat!... Écoute, ma belle petite chouette... tu sais, un homme... faut que tu comprennes... je vais t'expliquer... écoute...

LA PIROUNE

Oui, j'écoute.

TOM THUMB

Non, pas comme ça. Essaye plutôt de comprendre.

LA PIROUNE

Comprendre! Comprendre! Y a des hommes qui ont rien que ces mots-là dans la bouche: asseyez de comprendre. Coume ça, moi je pourrai faire ce que je veux, n'importe où, n'importe quand, et les autres, vous avez juste à comprendre. C'est point malaisé une vie de même.

TOM THUMB

Et toi, la Piroune? Tu t'es donc bien privée dans le passé, petite garce?

LA PIROUNE

Garce, moi? La Piroune a point eu besoin de l'école ni des prêtres pour y montrer à se com-

154

porter dans la vie. Y a des chouses qu'une parsoune apprend tout seule, en venant au monde :
ça qu'on peut faire ou pas faire sans salir le
front de ses aïeux. C'est pour ça qu'une femme a
point besoin de saouère lire pour comprendre à
quel instant c'est le temps de rentrer au logis.

Elle part.

TOM THUMB

Attends, la Piroune... Au moins chante-moi
quelque chose avant de partir, une petite chose
pour emporter avec moi en mer au petit jour...

LA PIROUNE

Y a pas un matelot qu'accostera au pied de
la butte, il serait-i' capitaine, amiral, ou même
second, qui traitera une Mercenaire de garce pis
ensuite se fiera de l'entendre chanter une com-
plainte. Une Mercenaire, c'est une Cordes-de-
Bois ; et une Cordes-de-Bois, ça donne peut-être sa
peau, en passant, pour soulager le chagrin d'un
esclave, ben ça largue jamais son cœur à c'ti-là qui
le mérite point. Tu te souviendras de ça, matelot,
quand tu seras loin en mer, à l'autre bout du monde.

TOM THUMB

Et quand je serai rendu au bout du monde, tu
chanteras pour qui, la Mercenaire ?

LA PIROUNE

Je sens que j'ai la gorge qui se gonfle depuis

queque temps; c'est pas sûr que je chanterai plus jamais.

TOM THUMB

Et si t'essayais tout de suite, pour voir?

LA PIROUNE

Je pourrais pas... j'ai un bouchon dans le gosier...

TOM THUMB

Une seule fois, pour moi, pour un matelot que la mer va prendre demain...

LA PIROUNE

Un matelot qui oubliera l'air sitôt qu'il l'ara entendu...

TOM THUMB

...qui l'enfouira au creux de ses oreilles, cet air-là, et dans ses reins, et au fond de ses boyaux...

LA PIROUNE

En pensant à quoi?

TOM THUMB

Au plus bel été de sa vie.

La Piroune se met petit à petit à chanter et danser, puis se déchaîne de plus en plus. Tom Thumb la rejoint, l'enlace et l'entraîne.

156

Scène VII

au quai, la nuit

*La scène est vide. La Veuve entre et regarde
longtemps le bateau.*

LA VEUVE

C'est malaisé de se battre jour et nuit pour
sauver le monde. T'as beau être sûr que tu fais ton
devouère, et que tu suis ta conscience, c'est malaisé... Tu sais où c'est que le mal se loge, mais
c'est point si aisé de le déloger. Par rapport qu'une
mauvaise harbe que t'arraches sus la butte peut
aussi ben le lendemain semer sa graine dans les
prés. Et pis y a tout le temps le danger d'arracher
une bonne plante avec le chiendent. Seigneur, c'est
point si aisé d'être bon, point si aisé... point si
aisé de dormir avec tous les péchés du monde autour de toi. *(Elle regarde le bateau.)*... Toute la
pourriture qui sort d'un abcès que t'as été obligé
de corver vient empester jusqu'à ton lit et te tient
réveillé la nuit. Mon Dieu que la vie est malaisée
des fois pour ceuses-là qu'avont choisi d'être bons.
Je le sais, je le sais, mon Dieu, c'est point moi

157

qu'a choisi d'être bonne, c'est vous qui m'avez choisie. Ça c'est écrit dans la Bible. Mais il vient un temps où c'est qu'une parsoune se demande pourquoi faut que ça seyit yelle la prédestinée. Ça finit par être une moyenne besogne de traîner toute une parouesse à Dieu. Même la vartu de temps en temps arait le goût de se reposer. Oui, juste se reposer, pus penser à rien, pus se sentir obligé de pratiquer les coumandements, faire ses priéres, aimer son prochain... *(Elle aperçoit la Bessoune au loin.)* Ah! non, pas c'te petite forlaque-là encore! J'avons même pas deux minutes de tranquillité pour parler à Dieu seul à seul et dans la paix de son âme. C'est vraiment dur de tout le temps être bon, mon Dieu!

Elle sort. La Bessoune entre, affolée. Elle montre les poings au bateau, puis se jette sur la bouée et sanglote. La Piroune descend du bateau en chantonnant. Soudain elle aperçoit sa fille et s'arrête sitôt de chanter.

LA PIROUNE

Voyons, la Bessoune, voyons... quoi c'est qu'y a? hein?... Quoi c'est qu'est le trouble avec la petite Bessoune?... Elle va-t-i' pas parler à sa mére?

Elle s'approche et lui caresse l'épaule.

LA BESSOUNE

Touche-moi pas!

LA PIROUNE

Ouf! ç'a les narfes à pic, c'te nuit. Y a-t-i' quequ'un qu'arait eu envalé un porc-épic?

LA BESSOUNE

Va-t'en! va-t'en!

LA PIROUNE

C'est ben, c'est ben... je m'en vas. Ben reste pas icitte tout seule sus le quai; le serein est timbé et tu vas prendre ta mort.

LA BESSOUNE

Je veux prendre ma mort.

LA PIROUNE

Voyons... voyons, la Bessoune. Tu veux pas mourir, pas encore. À ton âge, une parsoune a toute sa vie devant yelle, elle a encore ben le temps de faire enrager ben du monde, et faire ben du dégât autour... Fais une femme de toi, la Bessoune. T'es une Cordes-de-Bois, oublie-le jamais. Et une Cordes-de-Bois, c'est...

LA BESSOUNE

...c'est des voleurs, des menteux, pis des sans-cœur.

LA PIROUNE

Hey, hey! pas si fort, ma fille. Une sans-

159

cœur et une voleuse parce que j'ai trouvé un homme? Et pis c'était point mon tour, non? Depis que je marche sus deux pattes que j'en ai vu tout autour de moi des matelots, pis des navigueux. Descendus de toutes les façons de bâtiments, et aouindus de tous les pays. Et aucun de ceux-là a dévalé le marche-de-pied de ma cabane au petit jour sans me demander de partir avec lui. Y en a même qui m'offriont le jonc au quatrième doigt. Y en a qu'alliont jusqu'à voulouère me présenter à leurs pére et mére, t'as qu'a ouère! Mais y en a jamais eu un seul qui m'avait allumé les boyaux comme s'il m'avait baillé un coup de pied dans le ventre, un coup de pied de géant assis à la table ronde du roi Arthur au fond des vieux pays. Toute ma vie je l'ai espèré, c'ti'-là. Je l'ai guetté par tous les châssis, et sus tous les quais. Et t'apprendras, ma fille, que l'houme de ta vie, c'est point un présent de Nouël qu'on se baille entre voisins. Faut que tu le trouves tout seule, et même que tu l'arraches aux autres... et des fois, tu peux guetter longtemps... longtemps...

LA BESSOUNE

J'espèrerai, moi.

LA PIROUNE

C'est ça; et un jour, il en viendra un.

LA BESSOUNE

C'est Tom Thumb qui reviendra.

LA PIROUNE

Non, la Bessoune, compte pas sus Tom Thumb.

LA BESSOUNE

Un jour, j'arai ton âge, ma mére, et je sarai danser avec mon bec, moi itou, et chanter avec mes reins. J'irai le qu'ri' en Irlande, le Tom Thumb, dans dix ans, vingt ans.

LA PIROUNE

Dans vingt ans, t'aras oublié Tom Thumb et son Irlande. Ben t'en aras trouvé un autre, tu verras.

LA BESSOUNE

Jamais! jamais un autre que Tom Thumb. Par rapport que l'houme de sa vie, ça peut arriver itou qu'une parsoune le trouve du premier coup. *(Elle pleure.)* Ça peut arriver à n'importe quel âge d'aouère mal au ventre, et mal au cœur et mal à la peau, et de sentir une façon de bouchon au fond de l'âme coume un vartige qui passera pus jamais... pus jamais. Tu sais que pus jamais tu pourras regarder couler de l'eau sans aouère envie de te jeter dedans. Vingt ans, durant vingt ans t'espèreras, et guetteras chaque bâtiment qu'accostera au quai, et tu fouilleras sa cale et ses haubans...

161

LA PIROUNE, *très grave*

C'est toi, la petite Bessoune, qui parles de même tout d'un coup?

LA BESSOUNE

Je crois que je suis plus une petite Bessoune depuis hier, j'ai coume grandi...

LA PIROUNE

Et tu pourrais espérer vingt ans, ma fille?

LA BESSOUNE

Cent ans, toute ma vie.

LA PIROUNE

T'espèreras jamais parsoune d'autre que lui, Tom Thumb?

LA BESSOUNE

Je mourrai avant d'en espérer un autre que lui... Tom Thumb.

LA PIROUNE, *brusquement*

Vas-y, dépêche-toi, il est encore dans son hamac... en train de borcer son Irlande. Va le trouver.

LA BESSOUNE, *qui hésite à comprendre*

Quoi c'est que tu dis, ma mére?

LA PIROUNE

Va vite, la goèlette démarre demain. Il a parlé de toi tantôt. Il t'emmènera. Dépêche-toi.

LA BESSOUNE

Et toi, la Piroune, tu resteras aux Cordes-de-Bois?

LA PIROUNE

Il viendra d'autres bottes ben vite... de Nor-vége, de Hollande... Faut quequ'un pour brasser le fricot... sus la butte.

LA BESSOUNE

Un houme, c'est point un présent de Nouël... que t'as dit.

LA PIROUNE

Oh! non; Nouël, il en vient un tous les ans. Ça, je le ferais pas tous les ans... Dépêche-toi... il va faire jour ben vite.

LA BESSOUNE

Ma mére...

LA PIROUNE

Va, dépêche-toi... Pis prends garde à toi, va pas dans le chemin...

La Bessoune s'en va vers le bateau.

163

LA PIROUNE, *seule*

Et danse avec ton bec, petite Bessoune.

Elle se jette sur la bouée.

Scène VIII

aux Cordes-de-Bois, le matin

Patience brasse la soupe et chante un refrain lent et mélancolique de Mon pére a fait bâtir maison. *Zélica qui balaye le perron s'impatiente.*

ZÉLICA

Elle est pas finie de se bâti' encore, c'te maison-là?

PATIENCE

Une maison, c'est jamais fini, c'est coume un pays.

ZÉLICA

M'est avis que ce pays-icitte achève, lui. Ben vite il restera pas parsoune pour y planter ses choux.

PATIENCE

Ça c'est ben de ta faute. C'est toi qui l'as

garrochée dans les bras de son matelot, ta Bessoune.

ZÉLICA

Ah bon! Ça finira par être moi encore qu'ara fait débouler les cordes de bois en bas de la butte.

PATIENCE

Avec la Bessoune qu'a bâsi, il reste pas grand chance à la butte à se relever.

ZÉLICA

Il reste ta Piroune.

La Piroune entre, comme une somnambule.

PATIENCE

Il reste l'ombre de la Piroune. Et ça itou c'est de ta faute.

ZÉLICA

Ma faute! ma faute! Et si tu blâmais une seule fois la vraie coupable de tous nos malheurs! La garce de chipie de bougresse de Veuve Enragée qui nous a ben souhaité tout ce qui nous arrive. Elle a juré d'aouère notre peau et d'achever de vider la butte des Cordes-de-Bois.

PATIENCE, *qui scrute l'horizon*

Qui c'est qui dit qu'il manque quelqu'un aux

Cordes-de-Bois? Je crois même, si mes yeux sont bons, que j'allons être l'un de plusse à l'avenir.

ZÉLICA

Quoi c'est que je vois?

Entre Tom Thumb, portant la Bessoune.

PATIENCE

Tu vois l'Irlande rentrer au pays.

TOM THUMB

Un homme pourrait-i' avoir une bolée de vin chaud, pour l'amour de Jésus-Christ?

Tout le monde lui saute au cou.

ZÉLICA

Y arait-i' un matelot qu'arait fui de son bâtiment?

LA BESSOUNE

Entre les pattes de son capitaine coume la goèlette frôlait la dune.

TOM THUMB

Avec une sirène amarrée autour du cou.

LA BESSOUNE

Il reste au pays! il reste au pays!

LA PIROUNE

Et l'Irlande des géants, de la riviére Shannon, de saint Patrick, Brendan et tous les saints volants?

TOM THUMB

C'est en Amérique que l'Irlande est belle; et c'est sur la butte des Cordes-de-Bois que Tom Thumb pourra en rêver à son aise.

ZÉLICA

Le v'là le pays des aïeux. Elle est point parée à mourir encore la butte qu'a défrichetée l'ancêtre Mercenaire.

PATIENCE

Ben j'ons besoin de l'ancrer encore un coup en prévision des mauvais jours, la butte. J'aperçois une fois de plusse la sorciére de vent du bord du sû.

Tout le monde regarde venir la Veuve du fond de la salle, fouëne en main.

LA VEUVE

C'est-i' pour recoumencer?

LA PIROUNE

Oui, la Veuve, icitte la vie recoumence. C'est encore un coup mardi gras.

La Piroune entraîne tout son monde dans la fête. La Veuve est chassée de la scène et se sauve en criant.

FIN

TABLE

DU MÊME AUTEUR

Chez le même Éditeur

Romans, contes et récits

Pointe-aux-Coques, roman, Montréal, Fides, 1958. Leméac, 1972, 1977.
Par derrière chez mon père, contes, 1972.
Don L'Orignal, roman, 1972, 1977.
Mariaagélas, roman, 1973. Grasset, 1975.
Emmanuel à Joseph à Dâvit, récit, 1975.
On a mangé la dune, roman, Beauchemin, 1962. Leméac, 1977.
Les Cordes-de-Bois, roman, 1977. Grasset 1977.
L'Acadie pour quasiment rien, guide historique, touristique et humoristique. En collaboration avec Rita Scalabrini, 1973.

Théâtre

La Sagouine, 1974 (nouvelle édition revue et considérablement augmentée). Grasset, 1976.
Les Crasseux, 1974 (édition corrigée, revue et augmentée).
Gapi et Sullivan, 1973 (épuisé).
Évangéline Deusse, 1975.
Gapi, 1976.

Autre Éditeur

Rabelais et les traditions populaires en Acadie, Québec, Presses de l'Université Laval, 1971.

DANS LA MÊME COLLECTION

ACHEVÉ D'IMPRIMER SUR
LES PRESSES DES ATELIERS
MARQUIS DE MONTMAGNY
LE 25 NOVEMBRE 1977 POUR
LES ÉDITIONS LEMÉAC INC.